Gustav Gorky

by Erhard Dietl

高尔奇星球

恐龙出没

[德国] 埃哈特·迪特尔 著

王丽丽 译

译林出版社

来认识一下我吧！

活动脑盖
减速喷嘴
充电包
黑色激光枪
飞行鞋
控制器

我叫古斯塔夫·高尔奇，是一位星际记者，在高尔奇星球的《大爆炸》杂志社工作。我有很多在地球人看来不可思议的能力。我长着一只长长的鼻子，能撒出无数金色的小星星；身体能变形，手臂会伸缩。此外，我还有一双飞行鞋，这样我就能在空中飞翔啦！

我们的高尔奇语和地球语完全相反。所以，我们只需把地球语输进大脑，就能掌握你们地球人的语言啦。

高尔奇语的顺序和地球语刚好相反。只要把每句话从后往前读，你就会发现窍门啦。

举两个简单的例子吧：

1. 嗨，大家好！我是古斯塔夫·高尔奇。

译成高尔奇语就是：

。奇尔高·夫塔斯古是我！好家大，嗨

2. 。历经险冒的上球地在我是的讲书本这

译成地球语就是：

这本书讲的是我在地球上的冒险经历。

书里的插图都来自我的脑瓜，我用手把它们画在了地球人的纸上。

打开孩子想象力的大门

宣慧敏（童书编辑、阅读推广人）

我来自高尔奇星球，很高兴认识你！

古斯塔夫·高尔奇是一个爱好和平的小外星人。作为一个星际记者，他了解很多星球和星系，需要经常出差。可提到地球，他就不大乐意去了。地球在整个宇宙中的名声不太好，大家都说地球人又笨又好斗，科技落后还执拗。但是古斯塔夫是被派去工作的，他没法选择。

让人意想不到的是，古斯塔夫来到地球后，在一次次的历险中看到了地球人善良、有趣的一面。

古斯塔夫原名Y3，他的同事Y9前往地球工作，不料在地球上失联了。于是杂志社指派Y3去调查Y9的下落。高尔奇人对地球这个“落后”星球的了解并不多，再加上Y9在地球上失踪，初到地球的Y3可谓是草木皆兵，对地球上的东西都充满敌意。所幸他最先遇到的地球人是善良的布家人。他们不但收留了Y3，还给他取了个地球人的名字——

古斯塔夫·高尔奇，昵称“小古斯”。小古斯就这样跟着布家人开始了精彩有趣的地球之旅。

《高尔奇星球》系列是一套适合小学生的入门科幻小说，能满足他们的好奇心，激发他们的想象力，让他们对科幻产生最初的向往和喜爱。孩子的想象力在小学阶段最强大，因此书中新奇有趣的设定对他们来说有巨大的吸引力。比如，高尔奇星球的语言顺序和地球语言相反，需要从后往前读，很多国外家长反映，倒着读高尔奇语让孩子欲罢不能。还有，把外星人的脑袋盖打开输入信息的描写也充满了童趣和幻想。

当然，科幻不能只是幻想。作者在天马行空的想象的基础上，加入了不少随着科技发展可以在不久的将来实现的技术，将“科技改变生活”的想法传递给孩子。比如小古斯通过交换两种食物的成分发明出口味更好的食物，让新款机器人将被撞坏的汽车修复得完好如初，等等。善用科技可以大大方便我们的生活。将这种理念从小根植在孩子心中，也许能培养出未来的科学家。

小古斯初到地球就遇到一系列困难，但他一次次用科技化险为夷，善良的地球人也屡次向他伸出援手。小古斯渐渐改变了对地球的看法，发现这个“落后”的星球也有独特的可爱之处。地球人喜欢美食，喜欢做一些在外星人看来没有意义的事情。小古斯在与地球人相处的过程中，发现这些

“没有意义的事”是对生活的享受。但这些行为有时候会造成各种麻烦，这时就需要古斯塔夫拿出高尔奇人的冷静和理性了。他遇到问题时，总能用客观的态度去研究和解决。

另外，小古斯对地球人的看法也值得每个人思考，孩子们可以试着站在旁观者的角度反思人类自身。故事里，外星人觉得一些地球人习以为常的事很奇怪，比如把钱看得很重，盯着手机屏幕一看就是好几个小时，等等。这样的质疑和思考可以起到一些教育作用，有助于孩子养成独立思考的习惯。

除了故事能拓展孩子的思维，这套书语言幽默搞笑，能让孩子轻松阅读。小外星人诙谐的叙述和色彩明丽、充满童趣的插画相得益彰。作者画出了语言所无法描述的高尔奇人的外貌——跟地球人有点像，却又不那么像，身上还戴着各种各样的高科技装备，一下子就勾起了孩子的好奇心。

《高尔奇星球》的作者埃哈特·迪特尔已出版一百多本儿童读物，他不仅在德国家喻户晓，在全世界也颇负盛名，曾荣获众多奖项，例如奥地利青少年读物奖等。他创作的人物总能给小读者带来欢笑，小外星人古斯塔夫·高尔奇不仅让孩子们的阅读充满趣味，还让他们从小对浩瀚的宇宙产生好奇心和探索欲。

目 录
Contents

第1章　最可怕的地球遭遇

浓密的植被刚好提供了很好的掩护。

我动也不敢动，紧张得鼻尖不停地抖动。在我眼前发生的这一切，可不是闹着玩儿的。一只地球动物突然暴怒起来，实在是太恐怖了。

它正怒气冲冲地用它那庞大的身躯撞击太空船。虽然我们高尔奇星球的太空船是由坚固无比的钽制成的，肯定不会被撞坏，可我还是怕得要命。

这个地球生物至少有四米高。此刻，它正张着血盆大口发疯似的怒吼着。

我把这只野兽的扫描图拉近，发现它满口都是锋利无比的尖牙。要是被这尖牙咬一下，我的小命可就难保了。

想到这儿，我真是如坐针毡。

当然，我也不是没见过大风大浪，之前，我去过很多星球，旅途中也有多次命悬一线的经历。不过，这一次却是最迫在眉睫的。

因为这不仅关系到我的小命，还牵扯到我的地球朋友布鲁诺，他还在太空船里！他站在操控舱一旁的窗户边，正声嘶力竭地喊着救命。

我看他眼中满是惊恐，赶紧飞速转动脑瓜，搜索脱身之计。

在紧急情况下，我的处理器会自动进入高速运行状态。我明显感觉体内的电子脉搏飞速涌入头部。我的脑瓜一下子就热了起来。

就在这时，那只狂怒的野兽发现了开着的舱门，想把庞大的身躯挤进太空船。

布鲁诺这小子怎么没关舱门呢？一切都太晚了，野兽已经挤进了太空船，正用力地撞着操控舱的门。布鲁诺吓得缩成一团，我的脑瓜转得更快了。

此刻，不只是布鲁诺命悬一线，我们的操控舱也危在旦夕。

操控舱里有驱动系统、定位设备以及高度敏感的电池。

我该怎么办呢？

刚才脑瓜转动已经消耗了不少能量，现在要是启动变形器，绝对是孤注一掷了，因为变形会耗掉我剩余的所有能量，万一不成功，我就只有死路一条了。

我的脑盖已经烫得不行了。

我只好从植被的掩护中飞出来。我飞到舱门处，小心翼翼地打量着太空船内部。那只野兽还在怒气冲冲地撞击操控舱的门。

突然，它猛地转过身，死死地盯着我。

这是我第三次光顾蓝色星球时遭遇到的最可怕的事情了，也是我万万没有想到的。接下来，我还是给大家仔细讲一下故事的来龙去脉吧。

我住在高尔奇星球，是《大爆炸》杂志社的记者。这是一份很不错的工作，因为我们的女编辑经常派我去其他星球搜集新闻，这样我就可以顺便四处逛逛。我虽然一个人住，也很喜欢独自享受宁静，不过经常去太阳系或别的星系看看，也是很不错的体验呢。

除此之外，我还是一名食品专家，负责高尔奇美食专栏《格卤木腐》。当然，我不只写关于食物的文章，还会去研究它们。我独创了很多食物，像谷赐汤、脆皮小吃、高能量的特力味棒条。这些都是非常美味的高能量合成食物。此外，我还将地球人的意大利面引入高尔奇星球，这可是我立的一项大功哟。

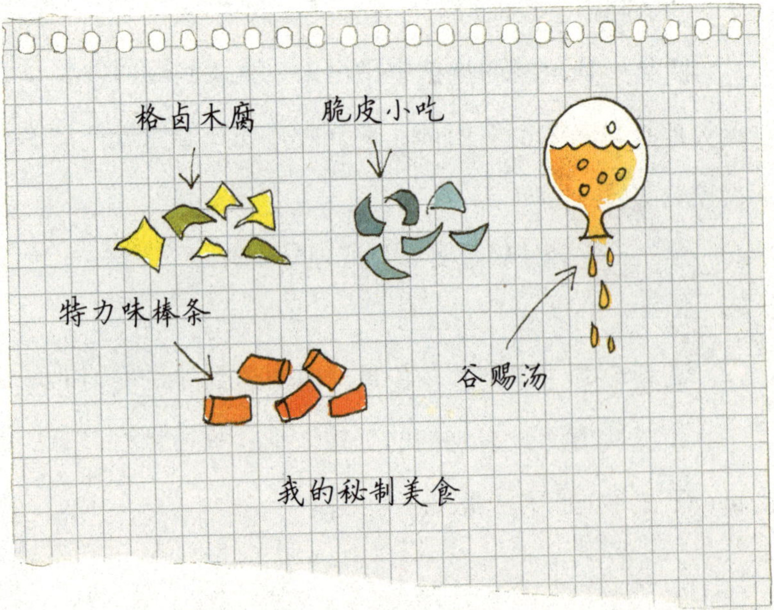

我的高尔奇名字是Y3。地球人叫我古斯塔夫·高尔奇。这个名字是我第一次到蓝色星球时，地球人布氏一家给我取的，有时候他们也亲昵地叫我“小古斯”。

想必大家也发现了，我说的地球语特别标准，就是偶尔速度太快，这要怪我原先的系统有漏洞。

地球人的语言不算难，我连一些很生僻的词组都认识，像“垃圾分类规章制度”“联邦州办事处”，还有“个人报税表格”之类的。很有意思的是，地球人只用很少的字就可以表达所有的内容，而且相同的字还会出现在不同的语言中。

在我们高尔奇星球就只有一种语言：高尔奇语。

高尔奇语是这样的：

。量能正的满满你予赐远永光之宙宇愿

翻译成地球语便是：

愿宇宙之光永远赐予你满满的正能量。

这是我们在高尔奇星球道别时常用的祝福语。还有很重要的一点是，我们高尔奇星球是非常和平的星球。

第2章　去地球度假

现在，大家肯定特别想知道我第三次去地球时到底经历了什么。

那是一个清晨，高尔奇星球的三颗卫星还在地平线上明亮地闪耀着。而我呢，正要去参加杂志社的例会，顺道拐了个弯儿来到技术部。

我飞进灯火通明的房间，发现技术总监侯悠正在“普拉特”旁忙碌着。她头上黄色的角在聚光灯的照耀下亮晶晶的。她浅绿色的身体也微微闪着光，仿佛是透明的一般。

每次见到侯悠，我都特别开心。

“嘿，侯悠！”我问候她，“你现在还在忙吗？”

她转过身，匆匆忙忙地看了我一眼。

“稍等一会儿，”她说道，“我正在检测‘格鲁普’系统中的故障粒子‘凑夫387’！”

“不好意思打扰你了。我过来就是想问一下，你今天太阳落山后有没有什么安排？”

“今天可能要忙到很晚，”她说，“我还得修改一下‘付鲁克洒托’上用的软件，再修理一下投影器，那东西又卡了。”

为什么每次都是她自己做呢？好吧，我知道，侯悠是我们最好的技术员。每次只要有什么棘手的事，她总会第一个全部揽下。

“唉，太不凑巧了，”我低声嘟囔道，“那还是改天吧。”

“嗯，我一有空，就立马联系你！”

我看到她的三只手正灵巧地操纵着键盘，瘦长的鼻子摆来摆去。我很喜欢她现在的样子。

“好吧，”我答道，“那就回头再见啦！”

我飞到会议室，在我的磁盘座上坐了下来。对面的墙上挂着一张全息照片，是已经去世的同事Y11。几年前，他不小心撞上了一块陨石，当即毙命。那张照片时刻提醒我们，宇宙中处处隐藏着危险。

这会儿，同事们已陆续赶到，为开会做好了准备。水晶天花板上的喷嘴喷出一些细小的星星粉尘。这是我们星球技术部的一项发明。星星粉尘能对所有生物产生积极影响，大量的星星粉尘还能让人陷入狂喜状态。当然，天花板上喷出的星星粉尘量是可控的，就像现在，不多不少，刚好让人感觉非常平静、放松。心情舒畅，事半功倍，这个道理高尔奇星球上的人还是知道的。当然，我们的女编辑也不例外。

她今天看上去心情特别好，一飞进会议室，就摊开四只手臂对我们说道：**“？啊议提的好么什有没有家大！啦游出体集织组以可又社志杂们咱，年星土是年今，道知都家大！息消的棒级超个一布宣要我天今，们事同的爱亲”**

翻译成地球语便是：

“亲爱的同事们，今天我要宣布一个超级棒的消息！大家都知道，今年是土星年，咱们杂志社又可以组织集体出游啦！大家有没有什么好的提议啊？”

紧接着，她又东拉西扯说了很多。和往常一样，我把身子压低了一些，因为她说话的时候唾沫星子四处飞溅。

她对我们的工作表示了肯定，还长篇大论地谈了公司氛围的重要性，以及今后十年的计划。按照地球时间算的话，她讲了整整三个小时，而且中间没有任何间断。尽管地球人的三个小时也不算很长的时间，但我们一直坐着听，很容易感到无聊。过了一会儿，我就走神了，因为重要的事情我早就知道了。

等我回过神来时，她已经结束了长篇大论，正用询问的眼神环顾四周。

“再回到咱们集体出游的事项上来吧，这次到底去哪儿好呢？”

大家都非常配合地思考起来。

Y1，杂志社科学版的编辑，用他的九只眼睛看着大家说：“我建议咱们去参观565721星球。这样，我还可以顺便采集一些水样本。”

Y2，技术版的编辑，建议大家不要走得太远。她认为在高尔奇星球逛逛就行了，顺便考察一下飞行器的光能轨道。

“嗯——”女编辑看上去不太满意，“还有别的提议吗？”

我喝了一小口谷赐汤。

“去蓝色星球吧，”我看着大家慢悠悠地说，“我有几个很棒的地球朋友，他们肯定会热情地接待咱们，这样咱们也能有个落脚的地方。”

这正是一个大好机会，我终于又可以和布家人重逢啦。

布鲁诺、布妈妈、布爸爸和布爷爷是我第一次去地球时认识的。我们有过几次一起冒险的经历。上次我们还一起去意大利度假了。

“那些傻傻的地球人有什么好看的！”Y9闷闷不乐地嘟囔道。

我早就料到Y9肯定会反对。不管我说什么，他总是第一个唱反调。

“我没觉得啊。”我反驳道，“他们怎么招惹你啦，亲爱的同事Y9？”

“哼，你说呢？”他提高嗓门喊道，“别当我没去过地球！地球人一点儿都不友好！他们头脑简单，喜欢动用武力，还会相互残杀！”

他说的当然也有一定的道理。在我们看来，地球上的

Y11
女编辑
Y6
Y1
Y2
Y5
Y4
Y7
我
Y8
Y9

纷争是不可理喻的。和地球人不同，我们高尔奇人是光的孩子，不会争斗，因为我们早就克服了所有的负面情绪。

当然，这么说也有点儿太绝对了，就像Y9，他老是跟我唱反调，不过我还是尽量往好处想。Y9的脑瓜里只装着数学。他爱吹牛，一心只想争第一，只想讨好女编辑。

我强忍怒火，故作镇定地说："怎么说呢，地球人的行为是有点儿奇怪。他们天生就不怎么会控制情绪，所以经常会做出一些出人意料的事来。也正是这一点让我感觉地球人很有意思，很有新鲜感！"

Y4和Y5是《扯淡》新闻专栏的记者，听了我的一番话，他俩不约而同地敲着磁盘座，表示赞同。

Y6是个无聊透顶的地理学家。他啃着特力味棒条，慢条斯理地说道："对我来说，去哪儿都无所谓，我随便。"

Y8是我们当中最年长、最有经验的高尔奇星人。他扬起粗粗的鼻子嘟囔道："我本想建议去金星，不过要是去地球的话，我也没意见。"

Y1眨了眨他那九只眼睛，环顾四周说道："我也感觉去地球挺不错的，我没啥顾虑。听说那儿也有很多有趣的水域，反正对我来说只要能采集到水样本就好。"

Y7是位冒险家，曾去过宇宙中最危险的角落。她吸了吸锯齿形的鼻子说道："我从来没去过地球，那儿肯定很刺激，尤其是听Y3讲了那么多关于地球布家人的事，我还真想赶紧认识一下他们呢。"

"那咱们就这么愉快地决定啦？"女编辑问道。

"我可没说想去！"Y9愤愤地说道。我看他眼神中满是敌意。

"除了Y9有顾虑，"女编辑说道，"多数人还是肯定了Y3的建议，那咱们就去地球吧！不过，我要提醒大家，咱们可能会在银河遭遇玻璃星球。因此，我希望大家……"

她后面的话，我早就倒背如流了。她每次都会提醒我们时时留意玻璃星球、黑洞、太空垃圾和陨石。这些陈词滥调我听了不下一千遍了。真不知道她心里怎么想的！我们又不是没在宇宙中旅行过！好吧，还是给她留点儿面子吧。毕竟这次是集体出游，她担心我们的安全倒也很正常。

要是她能料到后面在地球上发生的事情，估计她就会采纳Y2和Y9的建议，老老实实地待在家里了。

不过，我们还没法预知未来。

第3章　侯悠-咤普号太空船

这次，我们乘坐的是新型太空船侯悠-咤普号。这是技术总监侯悠一个人设计出来的，所以这艘太空船就用她的名字命名了。她可是我们星球上顶呱呱的技术人才，她所有的技术发明都很超前。

我非常喜欢侯悠，曾多次邀请她去我家做客，但最后都不了了之，因为她实在是太忙了！

我多想和她单独去旅行啊！唉，别提了，这次集体出游她也没法参加，因为她不是我们杂志社的职员。

这会儿，所有的同事都已登上侯悠-咤普号太空船，舒舒服服地坐下了。

我们的太空船可是出了名的舒适，里面配有四个星尘淋浴间和一个大影院。看电影的时候，大家可以通过思维来影响四维电影的故事情节。美妙的太空音乐让我们慢慢放松下来。地板上射出明亮的光束，让我们浑身暖洋洋的。这些色彩变幻的星际光束还能给大脑输入满满的正能量，真是太舒服了！

侯悠-咤普号太空船

太空船的走廊中摆放着红色、白色和黑色的太空植物，它们都来自非常遥远的星球。这些植物会伸长叶柄友好地和我们打招呼，还可以和我们交流。

当然，太空船里首屈一指的还要数惬意的享受厅，在那里我们可以飘浮在空中享用能量食物。多说一句，这些能量食物可全都是由我研制的哟。

除此之外，我们还有一个休息厅，在那里我们可以飘浮在光束中，安安静静地享受满满的正能量。

太空船配有雷达和防御系统，以便对有敌意的攻击做出有效的防卫。太空船亮亮的外壳是由坚不可摧的钽制成的，所以侯悠-咤普号绝对能让人百分百放心。

我刚在磁盘座上坐下，就收到了侯悠发来的消息。我满怀喜悦地读道：

：3Y的爱亲

，息休好好

！心开途旅你祝

，啊我记忘要不

！呀品念纪带我给得记

悠侯

读完她的消息，我感觉心里暖暖的。

我的磁盘座不大不小，就像专门给我定做的一样。同事们和女编辑陆续在我身旁落座。

只有Y9没和我们坐一块儿。他在本次旅途中要承担导航和技术指导的工作，这会儿正坐在对面的操控舱，聚精会神地进行起飞的准备工作。

这样也好！省得我们老是看他摆着一张臭脸。

一眨眼的工夫，太空船便悄无声息地滑翔着飞离光能轨道，进入了黑幽幽的宇宙中。

太空船飞行借助的是反物质，目前的速度是光速的四倍，不过坐在船内根本感觉不出来。四倍光速其实还不算快，反正我们也不赶时间，就慢慢地飞吧。

“亲爱的Y3，”女编辑对我说，“既然本次出游的目的地是地球，就劳驾你给大家讲一下布家人吧。”

这事我倒是非常乐意做。

我给大家讲了布家的石头房子、小花园、惬意的花园小屋和地球动物小猫。

我还告诉他们布爸爸有个小吃店，可以供给别的地球人所需要的至关重要的能量食物。

而布妈妈呢，教我做家务活，像怎么用扫把啊，怎么擦窗户啊，怎么使用洗衣机之类的。

布爷爷非常喜欢下棋。当然，还有我最好的地球朋友小布鲁诺，他最爱玩电子玩具。说起布鲁诺，我就想多说几句。他要去地球人所谓的学校上很多年学，非常吃力地把信息填入大脑。

“唉，费劲死了！”我们的技术专家Y2吃惊地说道。我们高尔奇人的小孩子只需要输入一次程序，就能掌握所有信

我侃侃而谈布家人。

息，只是偶尔在非常特殊的情况下才需要升级一下。

就像这次，大家在出发前都更新了一下程序，添加了地球语。当然，我就不需要啦，因为我的地球语早已达到炉火纯青的地步了。

这一行人当中只有我在地球上有几个熟人。哦，Y9也算和地球人打过交道吧，不过他只能算半瓶子醋，怎么能和我相提并论呢？我对地球人的了解可不是一般的多。当然，最令我骄傲的是连地球人的微笑我都能模仿得惟妙惟肖。

旅途一切顺利。

我们飞过太阳系中的几个星球，先是海王星，接着是天王星和土星。途中，我们还碰到一颗极具杀伤力的玻璃星球，它的直径是地球的四倍。

“看吧，亲爱的同事们，我知道你们老是嫌我唠叨玻璃星球，你看这次多危险，我说啊，大家要时刻绷紧安全这根弦……”女编辑一打开话匣子就没完没了，真是不让人耳根清净。

我才懒得听她唠叨！我沉浸在美妙的音乐中，欣赏着窗外的美景。

天哪，太空船差一点点就撞到土星的光环了，吓得我出了一身冷汗！土星的光环可不是闹着玩的，那里面全是冰块和石块。Y9真该避开这条路！不过，他心里在想什么，我可一清二楚！他这次是故意的，就想在女编辑面前显摆显摆自己的飞行技术。

躲过一劫，可真是不幸中的万幸啊。

银河中的星光着实让人陶醉。同事们这会儿正手忙脚

在银河中遨游

乱地拍照。

虽然银河对我来说早已是家常便饭，但每次看到两千亿颗星星汇成一片光的海洋，我还是会禁不住啧啧称赞。

我从背包中拿出无线电收发机，给侯悠发了条短信息。

：悠侯的爱亲

。利顺展进切一

！了惜可太是在实，来没你次这

光的亮明束一让

！候问的你对我去带

！见头回

3Y

信息刚发出去，我就收到了侯悠的回复。

幸亏我们快到木星的时候绕了个弯儿，要不然就可能出事了，因为木星是个气态行星，很危险。之前，有几个高尔奇人一不留神就在这儿丢了小命。看来Y9这回不敢逞强了。他小心翼翼地驾驶太空船远离土星，朝金星飞去。现在，地球近在咫尺啦！

没过多久，我们便飞入地球大气层，进入大气层的瞬间，太空船猛地震了一下。Y9按照之前我给他的地理坐标准确降落，地点为布家花园。

第4章　又见布鲁诺

太空船会根据周围环境自动伪装，这样就不会被地球人发现了。

一飞出太空船，我就看到了布鲁诺，他正站在石屋门口，看到我惊呼道：“天哪！小古斯！”

我知道地球人问候时喜欢握手，连忙把右臂伸长弹了过去。

“布鲁诺，太好了，咱们又见面啦！”我说道，“这次我把同事们也带过来啦！”

“天哪！”布鲁诺看到我的同事们，吃惊得眼珠子都快掉出来了。

这会儿，我的同事们鱼贯飞出，照着我的样子，伸长弹簧臂一一和布鲁诺握手。

“看来是您小布鲁诺先生啦，”女编辑用蹩脚的地球语说道，“和我们，Y3讲了很多事情您的。这次承蒙您亲自接驾，不胜荣幸，感到我们。”

女编辑说话很吃力，看来她的地球语程序有点小问题。

“哦，天哪！对……对的！”布鲁诺结结巴巴地说道。所有的高尔奇人蜂拥而上，围着布鲁诺看来看去。我连忙给布鲁诺一一介绍我的同事。亲眼看到这么一个活生生的地球人，同事们别提多高兴啦，鼻子都禁不住抖动起来。

同事们对布鲁诺很好奇。

“他看起来挺友好的嘛！”Y1评论道。

“他头上的覆盖物还真有趣！”Y4和Y5吃惊地说道。

“这个地球人身体上有八处开口。”Y8用他的透视眼仔细扫描了一下布鲁诺。

“那是用来看、听、闻、呼吸、说话、摄取食物和排泄用的。”我和他解释道。

“太有意思了！”女编辑摇着带触角的头说道，“竟然有排泄这回事，头一次听说！”

七嘴八舌地研究完布鲁诺，大家终于放过了他，开始好奇地四处探索。

Y8飞进布家的石头屋子里，拍起了照片，而Y9呢，则量起了花园里小草的高度。

同事Y7在露台上发现了布妈妈摆放的晾衣架。她从来没见过这玩意儿，满是怀疑地盯着看了好久，最后竟然掏出了激光枪。

我一看形势不妙，连忙冲她喊道：“别紧张，那玩意儿不会伤害你的！”

我的话还没说完，晾衣架不见了，连晾衣架上的四件衬衫、三双袜子和两条格子短裤也被分解成了原子。

“啊！我的裤子！”布鲁诺气恼地喊道。

“没事，别担心，布鲁诺！瞧我的！”我安慰他道。说着我从背包里掏出复原器，眨眼间就把晾衣架和衣物恢复原样了。Y7一开始有点吃惊，不过终于意识到晾衣架不是什么外星怪物。

Y6正在对地球进行勘测。他在花园里的软土中挖了个深深的洞。这会儿他只剩头上的天线尖还露在外面。

Y4在空中乱飞一气，忙着捉蜜蜂、苍蝇、蚊子等，打算收集地球昆虫标本。

Y1正用两个鼻子交替着从花园池塘中采集水样本。

Y2发现了布爷爷的割草机，对技术总是满腔热血的她二话不说便把割草机大卸八块，想好好研究一番。就在这时，我听见布鲁诺大喊道：“喂！求你手下留情，放过那个割草机吧！”

“我建议大家别再动布家的东西了！”我提醒同事们。

“我可没碰什么东西！”Y5蹲在花园小屋的屋顶上，打量着不远处正在酣睡的小猫。

“布家地球人别的哪儿在？”女编辑用蹩脚的地球语问道。

“他们都不在家，”布鲁诺解释道，“我爸妈去网球场了，今天有场比赛。爷爷去看牙了。”

“看牙？”我吃惊地问道，因为这个词我脑袋里没保存。

“嗯，爷爷的牙齿上有个洞，需要补一下，”布鲁诺说道，“他的牙齿一向不好，估计是他很少刷牙的缘故。”

地球人要刷洗修理咀嚼用的工具，这我还是头一回听说，于是赶紧把这条信息保存了下来。

女编辑四只手抱在胸前，若有所思地问道：“那今天你的牙齿你得修理吗，布鲁诺？”

“那倒不用，不过等待我的还有更恶心的事！”布鲁诺叹了口气说道，“我明天一早就得交数学作业。”

“我很乐意帮你，”我建议道，“让我帮你做吧！”

乐于助人可是地球人的优良品质。这会儿，我心中油然升起一股想帮助别人的冲动。没准儿这跟地球空气有关。

“谢天谢地，我终于有救了！”布鲁诺高兴地欢呼道。

一旁的Y9窃听了我们的谈话，立马蹦蹦跳跳地飞过来，大声说道：“数学可是我的专长！当然该由我来做啦！非我莫属！”

我可不想让他介入，刚想反驳他，突然听女编辑说：“那布鲁诺看看让我们数学作业吧！”

“好吧！”说着布鲁诺走进了屋。我们也跟着他飞了进去。

他的房间和之前一模一样。

角落处那个柔软的长方形物体是床，布鲁诺每天晚上都得躺在那儿补充能量。

此外，房间里还摆放着几件木制家具。墙上挂着几幅画，画上有地球动物，还有一艘小宇宙飞船。布鲁诺给我们解释道，这些画都是他自己画的。

Y9飞到软软的床上躺下试了试，女编辑小心翼翼地摸了摸窗台上那盆长满刺的小盆栽。

“这是食物你的吗？”她问布鲁诺。

我看布鲁诺笑了笑。

“哈哈，那是仙人掌，吃不得！”他笑着说。

布鲁诺从包里拿出本子，让我们看他的数学作业。

没想到Y9捷足先登，瞥了一眼作业，只用一秒钟便把所有题目都解了出来。他快速把脑袋里的答案转变成纸上的数字，眨眼间，数学作业就顺利完成了。“真不赖！”女编辑夸赞Y9道。

“小菜一碟！”Y9拍着胸脯骄傲地说道。

其实这些题我也会，只不过没有Y9做得快罢了，毕竟他是搞数学的嘛，有什么了不起的。

这会儿，其他同事也陆续飞了进来。大家全挤在布鲁诺的小房间里。

突然，我发现天花板上的灯晃来晃去，大概是因为高尔奇人身上发出的超声波影响了电流吧。

Y2立马对电视机产生了浓厚的兴趣，她二话不说拆掉后盖，研究起里面的零件来。

“住手！”布鲁诺大喊道。

不过布鲁诺还是迟了一步。Y2已经打开了电视机。

突然，屏幕上跳出一部二维电影。

所有高尔奇人立马都傻掉了。

屏幕上的画面很不友好。两伙地球人正在群殴。他们疯狂地朝对方扔石头，用长棍子互殴。一辆车开了过来，对着吵吵闹闹的人群喷起了水。突然，人们就像无头苍蝇似的四散而去。

看到这番混乱场面，大家猛地警觉起来。Y7立马掏出激光枪，对准电视机，准备自卫。

“不要开枪！”布鲁诺尖叫道，“那只是电视机而已！”

我连忙伸长弹簧臂，把Y7的枪筒按下去，让她平静了下来。

“不要动用武力！这些只是二维画面！地球人就爱看这些东西！”

“好吧，真是奇怪！”Y7嘟嘟囔囔地收起了枪。

“看吧！我早就警告过你们！”Y9幸灾乐祸地说道，“地球人很危险，喜欢打架。咱们真不该来这儿！”

Y8转身对布鲁诺说：“难道蓝色星球上的人不知道和平友好才是最好的吗？”

“哎，你有好法子吗？”布鲁诺问道。

“攻击破坏你们的光核内在的，”女编辑给他解释道，“这对于你们种族的情感发展不利非常。真是不知道怎么想的你们！”

布鲁诺看我们绷着脸训斥他，一下子不知所措。

“可……可这只是一些新闻啊！”他说道，“刚才那是警察出动，因为有示威游行，好像是在别的国家，又不是在我们这儿。”

说着，布鲁诺赶紧拿起遥控器把电视机关上了。我暗暗祈祷同事们别再惹事了。没想到就在这时，又出现了新情况。

Y4和Y5正鼓捣一个叫CD机的玩意儿，突然里面响起很恐怖的声音，像是一个地球人在撕心裂肺地狂喊。

Y7顿时掏出激光枪，对着布鲁诺的CD机一番扫射。“咔咔咔！”一眨眼的工夫，CD机就变成了一坨黑乎乎的东西。

“住手！我的CD机！”布鲁诺尖叫道。

我狠狠地瞪了Y7一眼，掏出复原器，又把CD机恢复原状了。

“从现在起，大家什么都不要动了！这儿很安全！”我冲同事们大声喊道。

“错没，再闹不要了！”女编辑随声应道，“再飞到外面去吧我们，周围的环境认识认识！”

“我们去网球场找你爸妈吧！”我向布鲁诺建议道，“真想立马见见他们啊。”

“啊，这个——”布鲁诺犹犹豫豫地说道，“不知道这样好不好呢？和一群外星人出现在网球场，恐怕会引起轰动吧！”

“那个场地上有很多你的同类人吗？”Y8好奇地问道。

“什么同类人？”布鲁诺疑惑地问道。

“就是地球人。我们很想再见见别的地球人！”

“噢，是这个意思啊，”布鲁诺说，“那儿一直都有人，尤其是在周末，人很多。”

“哇！那咱们还等什么呢？”我说，“布妈妈和布爸爸看到我肯定会大吃一惊！”

所有同事都很赞成我的提议，只有布鲁诺还在犹豫。

“我感觉不太好，”他说，“你们在那儿可不能像在我家似的这么群魔乱舞！”

“啊，群魔乱舞是什么意思啊，布鲁诺？”女编辑问道。还没等布鲁诺开口，我便抢先一步解释道：“地球人很喜欢跳舞，他们经常伴随音乐奇怪地扭动身体，手脚往不同的方向伸展，或者原地转圈，或者蹦来蹦去，反正很不自然。”

“我们不跳舞又，还不行去吗？”女编辑对布鲁诺说。

“真是败给你们了，我又没说你们跳舞！”布鲁诺哈哈大笑着说，“要不大家都隐身吧，千万不要让别的地球人看到！对了，你们不是有变形器吗？把身体缩得小一点！”

布鲁诺很了解我们嘛！他说得非常有道理，地球人要是看到不明生物，反应会很极端，要么撒腿就逃，要么立马发起攻击。无论如何，我们可不想和地球人开战，再说我们只是来度假的呀。

“没问题！那大家就缩小身体吧！”我说道。

“我还有个很棒的主意，”布鲁诺提议道，“要不大家都变成网球，这样的话就没人能认出你们来啦！”

说着，他飞快地跑进屋子，拿出来一个叫运动包的东西，还给了我们几个毛茸茸的黄球。

“能变成这个样子吗？”他拿起球在我们鼻子前晃了晃。

“问题没，这个我们难不倒，布鲁诺！”女编辑说道。

变形启动！咔嗒！咔嗒！一眨眼的工夫，所有高尔奇人就全变成了黄色的网球。

当然除了Y9！

他想待在家里，继续数花园里的植物。“不去更省心，”我心想，“这个马屁精不去，大家都开心。”

“你不去真吗，Y9？”女编辑问道，“把你一个人放这儿，我放心不太。”

女编辑话音未落，Y9已经飞到苹果树上，开始工作了。“我想数一下这棵树上的叶子，”他说道，“我很忙。”

“好吧，那就随便你吧！”女编辑说道，“你就待在这儿，等我们回来，不要一个人乱飞啊！”

我们都变成了网球。

布鲁诺把我们塞进运动包。大家挤到一块儿，蹭来蹭去的，很不舒服。我暗暗希望我们不会在里面待太久。

“嘿，你别滚来滚去的，好不好！”

“别碰我！”

“臭死啦！”

“你眼睛长哪儿啦！”同事们嚷嚷道。

我定睛一看，原来是布鲁诺骑上了地球人的自行车。虽然运动包不是透明的，但是看外面的东西可难不倒我，因为我有一双千里眼。

同事们对地球人这种很不实用的交通工具甚是不屑。我告诉他们我第一次来地球时就见过这玩意儿，我还变成过车铃铛呢。

这一次，布鲁诺还是只能靠两条腿吃力地蹬着自行车前进，为了时刻调整方向，他还得两只手抓着一根水平的铁棍子。

“好原始啊！”技术员Y2不屑一顾地说道。

“嗯，我很好奇，这玩意儿到底能跑多远啊？”Y8嘟嘟囔囔地说。

“不知道咱们能不能到球场呢？”Y6说。

最后，布鲁诺还是带我们顺利地抵达了网球场。

第5章　自讨苦吃的地球人

到达球场后，我们看到一个低矮的棚子，旁边有很多地球人坐在白色的椅子上，有男地球人和女地球人，基本上所有的人都穿着一身白衣。他们面前有很多透明的容器，里面装着各种颜色的液体，这是地球人用来补充能量的。

看到这番景象，同事们别提多开心啦，连忙拉近镜头，仔细研究起地球人来。Y4和Y5忙着拍照。可是这又谈何容易呢？不要忘啦，我们现在还是网球的样子呢，没手没脚，还得老老实实地躺在运动包里。我猜Y4和Y5拍出来的照片都是模糊的。

往球场一看，我便认出了布爸爸和布妈妈。

他俩正在红色的场地上跑来跑去，手里握着一个长柄，长柄的前端是碟子状的，他们就用这个东西去拍黄色的网球。

他们的对面还有两个人，这两个人我从来没见过。他们接到网球之后，连忙用力再把球击打回去。

“好球，妈妈！”布鲁诺大声喊道。布爸爸和布妈妈朝他挥了挥手。

布鲁诺把我们全从运动包里拿出来，放到一旁的长椅上。这样，我们就能看清楚周围的东西了。

对地球人来说，把球从一头运到另一头，好像是很吃力的事。还有，不知道是谁搞鬼，在球场中间竖起了一道网子，让运球变得更加棘手了，因为球时不时会撞到网子上被拦下来。真是搞不清楚，地球人干吗把事情搞得这么复杂。

真是太奇怪了！我们几个高尔奇人绞尽脑汁琢磨这到底有什么意义。

女编辑认为这一神秘的举动纯粹是仪式，可能是为了实现自我净化。

Y8认为这是地球人为了繁衍生息而展开的一项活动。至于为什么这么理解，他说不方便透露。

Y7说这让她想起了在567823f星球上经历的一次争斗。“不过，那时候人们用的是光剑，”她解释道，“而且也不止四个人，而是有整整四千人。”而我则认为事情没大家想得那么复杂，没准儿这又是一件很没意义的事，地球人经常会干没啥意义的事，就是为了消磨时间。

“0：40！”布妈妈大声喊道。

“该死！”布爸爸气急败坏地嚷道，“今天我的反手击球不在状态呢！”

我们躺在长椅上，看那些打网球的地球人瞎折腾。

布鲁诺俯身对我悄悄地说：“小古斯，我去买个冰激凌，去去就回啊！”

说着，他蹦蹦跳跳地去补充能量了，剩下我们百无聊赖地看着球场。

就在这时，一个陌生的地球人突然朝我们走来。布爸爸朝他喊道：“嘿，约根！把布鲁诺带过来的球扔给我吧！”

眨眼间，我就被那个叫约根的地球人攥进了手里。此时，我才发现自己的网球身体是那么不堪一击。我本能地开始加热身体。可这对我软软的网球身体来说无疑是火上浇油啊！等我意识到这一点时，一切都太迟了！

地球人约根把女编辑和Y5也拿了起来。

“不好！不好！”我听Y5用高尔奇语吱吱道。因为他的声音频率很高，超出了地球人耳朵所能感受到的频率，所以地球人是无法听到的。

就在这时，布鲁诺拿着冰激凌回来了。他一看大事不妙，连忙朝地球人约根喊道：“不要动我的球！喂！说的就是你！快把我的球放下！”

“好好好！我不动就是啦！”约根嘟嘟囔囔地把女编辑和Y5放了下来。

可我还在他的手里！

“怎么了，布鲁诺？”布爸爸喊道。

“对啊，干吗这么激动啊？”布妈妈说，“你带球来不就是给我们用的吗？”

“因为……因为……”布鲁诺结结巴巴地说，“因为这是我刚买的！我不想让你们把这些球弄脏，我是留着以后在网球馆用的！”

“干吗这么较真呢！”布爸爸大声喊道。

布鲁诺还没来得及救我，我就被那个约根扔了出去，刚好落在布爸爸的手里。

当然，他没认出我来。我的脑袋瓜飞速转动！要不要告诉布爸爸真相？当着这么多地球人的面？这可不是问候的好时机！

布家人很久没见我了，肯定想不到我会出现在这儿。没准儿他们会被我吓个半死。

“30：15！”布爸爸喊道。

说着，他猛地把我扔到空中，拍了一下我的身体。

第6章　神奇的ZB芯片

我以每小时73.2千米的速度飞越球场。对我们高尔奇人来说，这个速度不算什么，因为我们对时间的感受和地球人不一样。尽管如此，我还是要赶紧脱身才行，我可不想再挨拍子抽了。

幸亏最近我装了一个ZB芯片，这也是我们高尔奇星球技术人员的一项新发明。ZB这两个字母代表的是时间减速器，功能类似慢镜头。使用ZB芯片的人，可以轻而易举地改变方圆50米以内人对于时间的感受。这个芯片能让飞逝的时间减速，这样，一切就仿佛处在慢镜头的状态了。

我在侯悠那儿测试过这个芯片，非常成功，她给我激活芯片后，朝我扔了一根特力味棒条。这根棒条以非常非常慢的速度朝我飞了过来。不过ZB芯片所能影响的时间不长，换算成地球时间的话，只能持续五秒钟，之后又会恢复正常时间。

在空中飞行的时候，我向ZB芯片传输了启动时间刹车功能的数字代码。

效果立马就显现了出来。

现在，我非常非常缓慢地在空中飞行。

我看到对面的地球人以蜗牛般的速度抬起手臂。现在我离球网已不足半米，但是ZB芯片让我有了更长的思考时间。

就在这时，我看到空中有只小鸟，它也受到ZB芯片影响，以非常缓慢的速度飞行着。突然，我想到了一个妙点子。我决定再来一次变形。集中注意力，启动变形器！

咔嚓一声，变形启动！我的网球身体一阵剧烈颤动。说实话，我还从来没有从一个物体变成过一个活的生物。在时间减速状态下，我甚至能感受到身体的每一个细微变化。

这次变形很不舒服，我浑身都很痛。

接下来，我感觉自己长出了小脑袋、鸟嘴、细细的腿，还有两个翅膀。当羽毛一根根长出来的时候，我全身痒极了。最后，变形终于大功告成！现在，我已经是一只小鸟啦！

我刚变成小鸟，ZB芯片的时间刹车功能就结束了。

我把自己变成了一只小鸟。

现在我用两个翅膀来飞行，这的确是一件非常有意思的事情，和用飞行鞋来飞行的感觉截然不同。这会儿，我明显感觉到了地球引力。

我飞越那些打网球的地球人，绕了一个大圈，最后降落在布鲁诺身旁的长椅上。同事们都还在那儿，而且他们还是网球的样子。

“咦！我的球哪儿去了？”布爸爸吃惊地喊道。

“不知道啊！”布妈妈回答，“怎么突然不见了呢？”

“这是什么话？”另一队的地球人说道，“肯定出界了啊！我看得一清二楚！”

“不可能！球肯定还在场地里！”布爸爸争论道，“我明明打得很正！你眼睛长在后脑勺了吧！”

“算了算了，你重新发个球吧！”另一队的地球人建议道，“要是再找不到球，就算无效啦！”

“好吧！”布爸爸嘟嘟囔囔地弯腰从地上捡起一个网球。

这时，我对布鲁诺悄悄地说：“嘿，布鲁诺！是我，小古斯！”

他吃惊地看着我说：“什么，小古斯？我的老天爷！你现在变成鸟了？”

这就是地球人非常经典的明知故问。

“我们得赶紧离开这儿，”我小声说道，“这儿太危险了！”

我心里很清楚，那些网球同事也不太安全。谁知道打网球的地球人还会发什么神经。

“Y3说得没错！咱们赶紧离开这儿吧！”

“趁局势还能掌控，赶紧撤退！”

“我可不想在这儿挨抽！”

同事们七嘴八舌地嚷嚷道。

“好，好！”布鲁诺连忙说道，“咱们还是走吧！”

这会儿，布爸爸和布妈妈中场休息，朝布鲁诺走了过来。我看到布妈妈一边走一边擦着额头上的汗珠。

“呼——”她长舒了口气，“今天真是累死我了！”

“该死的！竟然连输两场！”布爸爸气呼呼地说道，“咱俩还得打得猛一些！还有，注意你的反手击球！”

布鲁诺朝他俩喊道：“你们知道谁来了吗？猜猜！不过，我估计你俩八辈子也想不出是谁！”

“谁啊？快说吧！”布爸爸按捺不住地说道。

“不是吧，歌灵德姑妈？”布妈妈激动地说道，“我们刚才还在说她呢。”

“不对！”布鲁诺咯咯地笑着说，“想不到吧！是古斯塔夫·高尔奇！”

“什么？小古斯？我们的小古斯·高尔奇！”布妈妈和布爸爸异口同声地喊道。

“没错儿！这次他还带了几个同事！他们的太空船就停在咱家花园里呢！”

“天哪！”布妈妈兴奋地说道，“这可真是个好消息！对了，他上次给咱们擦窗户擦得可干净啦！”

“什么，来了一群外星人？就在咱家花园里？”布爸爸不太确定地问道。

“他们的太空船和Y9在那儿，Y9说要留下来数苹果树上的叶子。”布鲁诺解释道，“其他的外星人都在这儿！”

他指了指身旁的网球继续说，“只不过都变身啦！”

“啊，原来如此！”布妈妈哈哈大笑道，“你瞎编的吧！”

“我还差点儿就相信啦！”布爸爸有些沮丧地说。

“我没骗你们！”布鲁诺喊道，“这些球就是外星人！”

看来是我出场的时候啦！我拍打着两个翅膀飞到布妈妈的肩膀上，低声说道：“很高兴再次见到你，布妈妈！”

她吓了一大跳，结结巴巴地说：“哎呀！这是什么？一只会说话的小鸟？”

“真是胡闹！”布爸爸生气地冲布鲁诺说。

“这不是胡闹！”我试着帮布鲁诺解围，“我不是鸟，我是古斯塔夫·高尔奇。我是不得已才变成一只鸟的！”

“但是……但是……真的吗？”布妈妈吃惊地说道。

“我不是在做梦吧！”布爸爸一屁股坐到了长椅上。

“这下你们相信我了吧？”布鲁诺连忙追问道，“我刚才就说小古斯来了，你们还不信！”

“我可能还没睡醒。”布爸爸盯着我说，眼神中充满疑惑。

我点了点鸟头说：“看你们打网球真是太有意思了！”

这时候，女编辑也加入了我们的谈话。

“我很高兴也，看到了其他地球人终于！”作为见面的问候，她这会儿只能在长椅上滚来滚去。她的地球语听上去闷闷的，不太清楚。

“我们也很开心！”其他同事也滚来滚去地嚷嚷道。

“网球竟然说话了！”布爸爸和布妈妈齐声喊道，“天哪，太不可思议了！”

布鲁诺又给爸妈解释了一番，过了好一会儿，他俩才慢慢接受了这个信息。

“怎么回事啊？你们还打不打球了？”喊声从球场上传来，“休息够了，咱们继续开始吧！”

“好好，这就过去啦！”布妈妈回应道。

“这样吧，布鲁诺，”布爸爸说，“你最好先带高尔奇人回家。比赛一结束，我们就回去，现在我们得把这场比赛打完。”

“等会儿咱们开个烧烤派对！”布妈妈建议道，“冰箱里还有肉。”

“哇！太好啦！”布鲁诺兴高采烈地说，“那我先骑自行车回家喽！”

他说着就又把我的同事们装进包里，跨上摇摇晃晃的自行车，朝自家花园骑去。

我现在还是鸟的样子，扑扇着翅膀飞在最前面。

第7章　去意大利旅行

我是第一个到达布家花园的。Y9还坐在苹果树上。我非常优雅地落在他旁边的一根树枝上。当然，他绝对想不到我会变成一只鸟。我看他聚精会神地在记事器上写东西，还不住地自言自语道："呼！终于数好了！总共有23176片叶子！"看样子，他终于完成了这项无聊透顶的工作。

"怎么样，还顺利吧？"我叽叽喳喳地对他说，"你终于数完啦？"

"什么？"Y9转身吃惊地看着我说。

就在这时，我突然听到身后传来奇怪的声音。

原来是布家的猫！

它眼睛睁得圆圆的，死死地盯着我。我能清晰地感觉到它身上散发出的负能量。突然，它猛地向我扑了过来！

我一下子从树枝上摔了下来，幸亏有翅膀，要不然我就摔成高尔奇粉末了。

Y9也注意到了那只猫。他脚底一弹树枝，同时激活飞行鞋，迅速飞离那棵苹果树。我们俩几乎同时降落在太空船的顶上。

“好险啊！”我舒了一口气对Y9小声说。接着，我启动变形器，咔嚓一声，我终于恢复了原样。

“啊！原来是你啊，Y3！”Y9吃惊地说道，“希望你们在我数叶子时度过了一段美好的时光。”

“嗯嗯，很好！”我连忙回答道，“我还打了一会儿网球呢。”

这会儿，其他同事也回来了。他们已经恢复原样，飞在布鲁诺的自行车后面。

我们坐在布家的露台上。布鲁诺告诉我们："等我爸妈一回来，咱们就开始烧烤！"

所谓烧烤就是一种能量补充方式。地球人补充能量的频率实在是太高了，而且形式也很有趣。

"那样的话，咱们还有时间！"于是，我建议大家在布爸爸和布妈妈回来之前去意大利玩玩。我记得上次去那儿的时候，天气很舒服，而且最主要的是那儿有很多美食。

"好主意，Y3！"女编辑赞成道。

"去意大利？太远了！"布鲁诺说，"我爸妈一个小时之内就回来啦！"

"地球时间一个小时绰绰有余！我们没准儿比他们回来得还早呢！"我解释道，"这儿离意大利也就1000千米，乘坐太空船一眨眼工夫就到了！"

"那好吧！"布鲁诺说，"我也要一块儿去！我还从来没坐过太空船呢！带上我吧，小古斯，好不好？"

我是没意见，女编辑也同意了。

"好啊！"她用蹩脚的地球语说道，"布鲁诺可以带我们看看名胜古迹儿处那儿的。"

所有同事都很开心，当然除了Y9。

“我不想去那儿！我宁愿待在这儿，继续数其他树的叶子。”Y9说，“这次就让Y2驾驶飞船吧，反正路也不远。”

这也挺好的，没有Y9，大家都能好过些！可惜只有女编辑不太赞成。

“Y9，这次说什么你也要一起去！”女编辑说道，“出于安全考虑，我们大家要待在一起！况且你是驾驶员，我希望你能认真履行自己的职责。”

“那好吧，既然你都这么说了。”Y9闷闷不乐地说，“那我只好回来再继续工作啦。”

以防万一，布鲁诺给爸妈在露台的桌子上留了张纸条，上面写着：

我们去趟意大利，
去去就回！
你们先准备烧烤。

布鲁诺

意大利的经纬度我还保存着，我告诉驾驶员Y9，他把经纬度输进了机舱的电脑。紧接着，我把布鲁诺领到了休息室。

他好奇地东张西望，我感觉到他的脑瓜散发出非常紧张的频率。看样子，他还从来没见过这么高端的太空船，这里的一切对他来说都很新奇。

“怎么样？这可是侯悠一个人制造的，船名是侯悠-咤普号！”我满心自豪地说，“你们地球人的飞行器根本没法和它比啊！你说呢？”

“天哪，真是太疯狂了！”布鲁诺赞不绝口地说。听他这么说，我心里别提多开心了。我让他坐在空着的那个磁盘

布鲁诺坐在磁盘座上。

座上。柔和的银河光束照在他身上，一眨眼的工夫，他就放松下来了。

“其实我还从来没飞过呢，”他低声说，“就连飞机我都没坐过，我们出去玩儿都是自己开车。”

“怪不得，那你就好好享受吧！这次旅行唯一的不足之处便是飞行时间有点儿短。”我说道。

不过，这一点儿也没影响布鲁诺的好心情。他坐在磁盘座上，冲我笑了笑。

接着，我也舒舒服服地坐了下来。是时候给高尔奇星球发条无线电信息啦。

我打算先和侯悠取得联系，称赞一番我们的太空船，再告诉她我们和布鲁诺正准备飞往意大利。

：悠侯的爱亲

！了极棒是在实船空太代一新的们我

！好很都切一儿这们我

，啦诺鲁布到见们我

，利大意往飞备准正

，累太要不作工你望希

！候问的心衷最去发你给球地从

3Y

（奇尔高·夫塔斯古：名球地）

很快，我便收到了侯悠的回信，信息很短，看来她这会儿正在忙。

！好很都家大到听兴高很

！人利大意候问我代

第8章　一阵剧烈的晃动

太空船启动的时候有点儿奇怪。

不知道为什么船体猛烈地晃动起来。

“怎么了？”Y6惊慌地问道。

休息室里脉搏般的紫外线波猛地晃动起来，整个休息室剧烈震动，紧接着传来一阵尖锐刺耳的响声。几个同事吓得尖叫起来，我看到布鲁诺双手捂着耳朵，整张脸都扭曲了。

“Y9怎么回事啊？”我听到技术员Y2喊道，“他是不是没把喷嘴调小啊？快打开‘唔符’按钮！他不会连这个都不知道吧？”

我们满腹狐疑地看着驾驶舱，心想肯定是Y9操作出现失误了。唉，真不该让一个自大狂当驾驶员！这是我最后一个想法，之后发生的事我就完全不记得了。

我的记忆存储器只记载了一声爆炸的巨响。

我恢复意识时，发现记忆硬盘上出现了0.3秒的空白。我感觉自己的脑盖被什么东西刺了一下。

到底怎么了？

幸亏我们的太空船没爆炸，否则我死定了，不过毫无疑问，的确出了事。

我精神恍惚地摸了摸头上的天线和肚子上的按钮，幸运的是一切正常。只有我的激光枪显示损耗电量97%。

这把激光枪已经很老了，我早该把它替换掉！等我回到高尔奇星球，立马换成新的！

我看了看周围，发现同事们都好好地浮在磁盘座上，这才松了口气。Y6和Y2还没怎么缓过神来，本能地先伸手摸了摸头上的天线。

“你们的激光枪电量损失了吗？”我问大家，“我的基本上全放空了！”

同事们赶紧检查自己的装备，还好一切正常。

只有布鲁诺两眼紧闭，动也不动地躺在磁盘座上。我对着他的脸，从鼻子里撒出很多小星星。很快，他就回过神来了。

“天哪，我这是在哪儿？”布鲁诺问道。

“你在太空船上，”我告诉他，“刚才发生的事情，我也很难给你解释。不过，现在一切已经恢复正常，放心好了！”

其实这话也只是安慰他的，我明显感觉周围的脉冲发生了变化。同事们也感觉事情不大对劲。“我们到了吗？”Y4和Y5异口同声地问道，“这就是意大利吗？”

“我们好像还没离开吧？”Y7说道。

“我也感觉还没离开！”Y8嘟嘟囔囔地说道。他是我们当中年龄比较大的，经历过很多事情，大大小小的风浪都见过，所以一直都是处变不惊的样子。

“让Y9来解释一下！”说着，女编辑往驾驶舱飞去。

大家好奇地往窗外看去。

外面到处绿油油的。太空船正好降落在一片高高的大树中间。就在这时，一只长脖子生物从我们头上掠过。我发现布鲁诺吓得缩起了头。

“这是什么？”他好奇地问道，“这种生物我从来没见过！”

女编辑又飞了回来，一扫刚才的忧虑。

“没事了！刚才是系统出了点问题。”她说，“不过，Y9已经控制了局面。”

外面一片绿油油。

紧接着Y9也来到休息室。

“亲爱的同事们，我们已经顺利降落在意大利，”他解释道，“很抱歉，刚才的颠簸让大家受惊了。”

“刚才为什么颠簸得那么厉害啊？你是不是没按‘唔符’按钮啊？”Y2责备道。

“根本没必要！”Y9辩护道，“我刚才启动了REMZE系统，百分百启动！你明白吗？我说你最好不要来管我的事！我才是这儿的主驾驶！”

“好好好，那你也用不着用这种语气说话啊，亲爱的Y9！”Y7摇着头说道。她头上的角不安地晃来晃去。

“你最好不要多管闲事！”Y9气呼呼地回应道，“你们干吗都找我的碴儿呢？REMZE系统有缺陷，又不是我的责任！”

“那麻烦你以后多多留神！”Y8闷闷地说，“最好按下‘唔符’按钮，确保万无一失！”

突然出现这种充满敌意的氛围，可真是件不寻常的事。因为我们高尔奇人一向以和平相处而闻名。我心里很清楚，这都是地球大气惹的祸。

女编辑抬起四只手臂，用三只眼睛咄咄逼人地看着大家。

“我说亲爱的同事们，能不能先安静下来？我建议咱们出去走走！”

第9章　陌生的意大利

刚到外面，我就发现布鲁诺的额头上冒出了汗珠。

他不安地四下环顾："天哪！我们这是在哪儿啊？这儿肯定不是意大利！是外星球吧？"

"不是外星球，小家伙，不用担心！"上了年纪的Y8安慰道，"我们根本就没离开你们星球。"

"我刚才输的坐标就是Y3给我的！"Y9再次声明，"我们百分百就在意大利！"

胡扯！意大利我又不是没去过，绝对不是现在这个样子！这里有点冷，意大利可暖和多了。唉，冷空气对我的驱动系统有百害而无一利。按理说，我们看到的应该是宾馆、商店、冰激凌店，还有很多度假的游客。可眼前却是一幅截然不同的景象。这儿一个人都没有，四周全是森林，长着高高的树，身后是一大片平地。我们穿过森林，不久便看到几个沸腾的热水喷泉。地面仿佛裂开了几处口子，里面冒出炙热的火山岩浆和滚滚的硫黄浓烟。一座小火山喷出炽热的熔岩石块。这番景象让我想起了高尔奇星球，那儿也有很多火山，不过那些山都很漂亮，跟这儿的完全不同。

有几只飞行动物从我们头上呼啸而过。它们展开的翅膀足足有半米长。布鲁诺惊恐地喊道："这是什么巨无霸？不会是巨型蝗虫吧？我们这是在哪儿啊，小古斯？这儿怎么看上去像一片原始森林呢？"

真奇怪，他竟然问我这些问题，难道他自己不知道吗？这可是他居住的地球呀！

四周响起呱呱、嘎嘎、吱吱的叫声，混作一团。肯定是地球动物的叫声！它们这会儿正躲藏在浓密的森林深处。

"咱们到高处看看吧！"女编辑建议道，"先大概了解一下这个地方。"说着，她启动飞行鞋，往高处飞去。其他同事尾随她飞了起来。我伸长右臂，抱着布鲁诺往高处飞去。

"小古斯，你可要抱紧我啊！"布鲁诺一边喊着，一边紧紧地抱着我。

我们飞到树冠上，下面的景色一览无余。

这儿一栋地球人住的房子都没有，根本就不像有地球人的样子。四周全是绿色的山丘，一直蔓延到地平线。白色的雾和云朵笼罩在山丘上。南边有一条很宽的河谷，两边是陡峭的石壁。东边是一座巨大的火山，冒着滚滚浓烟。

就在这时，又有一只更大的飞行动物从我们身边呼啸而过。布鲁诺立马尖叫起来。

“翼龙！不可能啊！翼龙不是早就灭绝了吗？下去，小古斯，快下去！咱们得赶紧离开这个地方！”

“灭绝”是什么意思啊？我不太明白他的话。

先来说说翼龙的长相吧，它有尖尖的长长的喙，头上长着非常漂亮的角。

“可是咱们今天不是来看意大利人的吗？”Y4和Y5发牢骚道，“他们到底在哪儿啊？”

“是啊！我也想问这个问题呢！”冒险家Y7说着，从锯齿形的鼻子里喷出一团热气，“我也想看看意大利人长什么样呢。”

所有的眼睛齐刷刷地看向布鲁诺。

“地球伙伴你的到底在哪儿，布鲁诺？”女编辑问道。

“我也不知道啊！”布鲁诺大声说道，“这里太奇怪了！根本就不像现代，像史前时代。”

“史前时代？胡扯！”Y9辩护道，“我带大家来的就是意大利！我顺利完成了任务！”

我们又飞回地面，决定好好探索一下这个地方，不过大家的兴趣点不尽相同。

Y2想研究空气分子的组成。她早就把电子测量设备打开了。

Y6想采集土壤和岩石的样本。Y8和Y1对热水喷泉中的水很感兴趣。

Y4和Y5想拍一些地球动物。马屁精Y9早已经不厌其烦地开始数树叶了，他一边数，一边在记事器上做记录。这里的树木枝叶繁茂，累不死他才怪！

Y7和女编辑非常执着，不找到意大利人誓不罢休。

我想好好休息一下，找个惬意的地方，跷起腿来，放松放松。

Y4建议大家分头行动。女编辑一开始很担心，坚决不同意，不过最后还是勉为其难地答应了。

“前提是，你们一旦收到我的信号，必须立马回太空船集合！”女编辑下令道。

她是无论如何也不会让我们单独行动的。说着，她把我们分成了几个小组。

可惜我运气不太好，偏偏和Y9分到了一组，还好布鲁诺也在我们组。

“好吧，那咱们出发吧！”Y9建议道。说着，我们朝一个方向走去。

我很清楚我们和Y9不是一路人，于是暗自盘算提前和他说明我的计划。

“咱们来这儿是度假休息的，”我对Y9说道，“所以我建议咱们找个风景颇佳的小山丘，享受一下周围的美景，让布鲁诺给咱们讲讲地球趣闻。”

我早就料到Y9肯定会唱反调。

他听到我的话立马反驳道：“我可没那么闲！我有很多活儿要干呢！我要测量这儿的植被，还要分析空气的成分，之后我还想采集一些水的样本。这是我的计划，看情况执行，我和你不一样，我可不想让女编辑失望！”

唉，还是老样子！真是无可救药了。说着，他又开始在记事器上做记录了。

好吧，那就顺其自然吧！我和布鲁诺先行一步，走在了前面。布鲁诺四下张望，看样子他怕极了，尤其是看到成群飞舞的大昆虫的时候。

“真是搞不明白，”他嘟嘟囔囔地说道，“这到底是什么动物啊？你确定咱们没离开地球吗？”

第10章 Y9，危险！

走着走着，我们看到一处冒着泡的热水喷泉，还有很多高高的扇子形状的植物。这些植物让我想起了566932星球上的植物。布鲁诺不住地抬头往上看。

“天哪！看这些蕨类植物，它们长得可真大！”他惊呼道，“我还从来没见过这么大的蕨类植物！”

来到一片林中空地，我和布鲁诺停下了脚步。我转身一看，Y9正在收集小石块。他出神地盯着手里的石块，自言自语地说着什么。

突然，我发现他身后跟着一只四条腿的动物。

这只动物身形巨大，约有三四米高，体重至少有60吨。它每走一步，脚都会重重地落在地上，发出巨大的声响。它长长的尾巴摆来摆去，往前伸着的长脖子上挂着小小的头，样子像极了布妈妈打扫卫生时用的吸尘器。当然吸尘器没有危害，而眼前这个巨无霸可就难说了。

这会儿，巨无霸离Y9只有20米了。眼看着他就要被踩碎了，可他还在忙着分析石块，根本没发觉身后的巨无霸。

“这个动物危险吗？”我赶紧问布鲁诺。

只见他脸色苍白，结结巴巴地说道：“这……这……这不是只……恐龙吗？怎么可能呢？天哪，小古斯，这是只腕龙！”

“它危险吗？”我又重复了一下刚才的问题。

“应该不危险，”布鲁诺低声说，“腕龙是食草动物，不吃动物。”

看样子他认识这种巨无霸，这让我放心了不少。

这会儿，Y9终于发觉身后的恐龙了。他立马停下来，一动不动地盯着恐龙看。

他不知道腕龙是无害的食草动物，本能地认为它相当危险。

“不要！”我连忙对他喊道，“这只地球动物完全无害！它只吃草！”

话音未落，一阵尖锐的声音响起，原来是Y9启动了变形器。本来我以为他会让恐龙变形，可万万没想到，他竟然把自己变成了一株浅绿色的多汁植物，直挺挺地竖立在草地上。

“自作聪明！”我怒气冲冲地喊道，“这次就让你尝尝苦头吧！”

他这一变不但没脱险，反倒成了巨无霸的盘中餐。只见腕龙慢悠悠地朝Y9走去。我们附近的地面也随着它的脚步震动起来。

“快来帮忙，小古斯！”布鲁诺见大事不妙，赶紧低声对我说。

腕龙伸长脖子低着头，啃着一丛一丛的小草。突然，它抬起头发出一种奇怪悠长的声音，然后快速朝不远处的Y9走去。这下子完了！

我的大脑中涌现出一些可怕的想法，诸如，我到底该不该出手相救？这不正是天赐良机，让我摆脱讨厌的Y9吗？

我竟然会有这样的想法，我自己也吓了一大跳。一个真正的高尔奇人是不应该这么想的。只要同事有难，我们就必须出手相救。

可是，我该怎么办呢？

激光枪？可是，刚才它就没电了！再说了，我也不喜欢用激光枪射击活的生物。如此看来，就只剩下变形器可用了。我鼓起勇气飞到Y9身边，把变形器对准他变成的那株植物。

让已经变过形的同事再次变形，是难上加难的。我心里很清楚，这次变形会消耗很多能量，极有可能会耗掉我所有的能量。

就在这时，我看到腕龙已经张大了嘴，准备吃Y9鲜美多汁的叶片。不能再犹豫了！变形器启动，咔嚓一声，Y9变成的植物一阵猛烈颤动。眨眼工夫，腕龙面前的美食就变成了一块石头。

“太酷了！”我听身后的布鲁诺喊道。

可是正如我所担心的那样，这次变形消耗了很多能量。我感觉双腿无力，不过还好变形很顺利。

腕龙眼睁睁地看着美食变成了石头，不明白发生了什么，一脸惊慌。它灵活地缩回脖子，长长的尾巴重重地敲打着地面。难道我把它激怒了吗？它会不会攻击我？

“天哪！”布鲁诺突然喊道，“它的同伴来了！”

只见不远处从森林里跑出来四头腕龙，大声叫了起来。大事不妙！如果它们发动攻击，我肯定招架不住。

腕龙直直地盯着我，又用尾巴重重地拍击地面。我一看不对劲儿，动也不敢动。没想到它突然一转身，加入同伴的队伍，一起从我们身边跑过，径直朝林中的空地跑去。

腕龙跑过去的时候，连看都没看我们一眼。我和布鲁诺松了一口气，看着它们远去的背影消失在几块巨石后。

“腕龙喜欢成群结队地生活在一起，这样才有安全感。”布鲁诺缓过神来，向我解释道。看来，他对自己星球的动物还是很了解的。

“为什么没有安全感呢？”我吃惊地问他，“难道这种巨无霸也有天敌吗？难不成还有比它们更大的生物？”

“大倒未必，但是更凶猛！”布鲁诺解释道，“像暴龙，那才是最危险的恐龙。暴龙能吃掉整只腕龙。”

光是想象一下这个场景，就够让人胆战心惊的了，我索性不再追问暴龙的细节了。

我走到Y9身边。他现在还是石头的样子，一动不动地躺在草丛中。

布鲁诺伸手一摸，吃惊地说道："这石头竟然是热的！他还能变回原样吗？"

"变不回来才好！"我低声说着，努力做出一个地球人的微笑，"反正眼下我是无能为力了。我剩余的能量远远不够把他恢复原样。这下子，他只能靠自己了。"

"这石头竟然是热的！"布鲁诺说道。

"他能行吗？"布鲁诺好奇地问道。

"看他自己的智力和集中力了。"我给他解释道。我心里很清楚，万一Y9靠自己的能力变不回来，那他就只能苦苦地等着别的高尔奇人来拯救他了。

“天哪！”布鲁诺一边喊着，一边把手缩了回来，“越来越烫了！”

就在这时，我们看到石块剧烈颤动起来。

咔嚓一声，Y9恢复原样了！他怒气冲冲地看着我喊道：“有必要吗，Y3？你干吗把我变成石头？你知道这种双重变形有多难变回来吗？”

说着，他担忧地摸了摸自己的脑盖。

“可是，谁让你偏偏变成一株植物？”我对他解释道，“刚才那家伙专吃植物！”

“那我怎么知道呢？”

“你可是百事通呀！”

“是小古斯救了你！”布鲁诺看不下去了，连忙来解围，“要不然，你早就在恐龙的肚子里了！”

“好吧！”Y9 极其不乐意地说道，“可是，你干吗偏偏把我变成一块笨石头？真是没必要！”

“你应该感谢我！”我回应道，“是我救了你的性命！”

“好吧！我跟你道谢还不行？”Y9嘟嘟囔囔地说，“非常感谢，Y3！不过，你救我也是你作为高尔奇人的责任，理所应当。”

这时，他终于发现我双腿发软，体内能量剧减，于是毫不犹豫地把10%的能量传给了我。当然这也是他作为高尔奇人的责任。没想到他还挺有责任心的，光凭这一点我就开始对他刮目相看了。

瞬间，我就恢复了体力。不过，我隐隐有些顾虑。一想到体内有他10%的能量，我就浑身不舒服。

第11章 恼人的负能量

我建议大家去附近的小山丘休息一下。布鲁诺立马就同意了，但Y9还是唱反调。

“嗯，你们去休息吧！”他说，“这样我就可以安安静静地继续工作了！你们尽管跷起腿静养，我可没这闲工夫！这里到处都是稀奇古怪的植物，我有义务去好好研究一下它们。”

虽然女编辑强调同一组的成员不可分开，但我也懒得提醒Y9了。眼下正是一个摆脱他的好机会。

“好吧，那就回头见啦！”我冲他喊道，“对了，咱们就在太空船碰头吧！”

我抱起布鲁诺，朝一座绿色山丘飞去。我们找了一块软软的苔藓地，悠闲地观赏起风景来。

“这儿还真不错！”我一边对布鲁诺说，一边四仰八叉地躺了下来。

“风景是没得说，”布鲁诺回应道，“但我还没搞明白咱们到底是在哪儿，反正这儿肯定不是意大利。我想回家了，我的肚子好饿！”

“你很快就能回家了，”我安慰他道，“这些植物和动物样子有些奇怪，不过肯定不会伤害我们的。”

我从背包里拿出无线电收发器，给侯悠发了一条信息。我告诉她我遇到了一只巨无霸，救了Y9一条命，不过至今还没看到意大利人。

：悠侯的爱亲

，命的9Y了救我才刚

，美很景风里这

，迹踪的人利大意现发有没还我是可

，伴旅的好很个是诺鲁布

，好都切一乡家望希

？样么怎你

。光阳束一去发息消随

3Y

可是这一次我却没收到侯悠的回复。

好奇怪啊！通常她都会立刻回复的。是不是发生什么事情了？我默默为她祷告。

突然，我想起了杂志社的同事，不知道他们怎么样了。我打开辐射收发器，接收了他们的能量波，没发现负面信号，一切正常。

现在，我终于可以放心休息啦。

我和布鲁诺肩并肩躺在山丘上。虽然Y9给了我一些能量，但我还是有些虚弱。

我心想等回到太空船，我要做的第一件事就是补充能量。

现在，我不由自主地琢磨起植物的高度。或许我应该准确测量一下，再记到记事器上？突然，我对这块苔藓地也产生了浓厚的兴趣。不知道它们的根有多长？如果我能解答这些问题的话，女编辑肯定特别开心。我瞬间感觉到一股非常强烈的测量和计数欲望。

我一下子傻了！这不是Y9的想法吗？

看来他的能量已经对我的大脑产生严重的负面影响！我必须努力抗拒他的影响。压抑计数的欲望！集中精力放松！

“我们到底是在哪儿啊，小古斯？”布鲁诺又开始重复同样的问题，“我不明白这儿为什么会有恐龙！你看过《侏罗纪公园》这部电影吗？我感觉这里跟那部电影很像！”

可惜我没看过那部地球电影。

“我们不会降落到电影里来了吧？”布鲁诺打破砂锅问到底，“这里让我感觉怪怪的！”

真有趣，这个小地球人竟然对自己的星球这么不了解。

“我肯定是在做梦！”他继续说道，“等醒过来，一切就恢复原样了！”

“做梦？”我好奇地问，“梦是什么？”这个词我虽然存储了，但不知道是什么意思。

布鲁诺给我解释道：“人类在睡觉的时候大都会做梦。就是在睡着的时候经历很奇怪的事情，醒来就都不见了。你们不做梦吗？”

“那梦到的是好的还是不好的事情呢？”我问。

“有时很好，有时很糟糕。”我知道地球人每天都需要通过睡觉补充能量。他们一睡就是几个小时，经常一动不动，非常浪费时间，而且在这种情况下他们完全没有防护。不过，睡着觉还做梦，我倒是头一次听说。

“我们高尔奇人不睡觉，所以也不做梦。”我对他解释道，“我们只是偶尔补充能量。”

“好吧！”他说，“反正你们那儿什么都和我们不一样。”

“也不是所有的哟！”我纠正道，“我们和地球人也有相似之处。”

“啊，我怎么没发现？”

“例如，我们高尔奇人也很喜欢美食。我们也能够感知宇宙中的美，也知道生命短暂易逝。当然，和你们地球人比起来，我们高尔奇人活得时间已经算长了。”

“嗯，看来不管是谁，生命都会终结。”布鲁诺说道。

“不过，我在几个别的星球上也见过一些外星人，他们从来就没听说过生命会终结，”我继续说道，“那儿的植物和动物永远不会死亡。”

“哇！真好！”布鲁诺说，“那他们就根本不用害怕死亡了。”

“这样不见得有多好。生命有终结的话，大家就会好好利用现有的时间。如果没有死亡，大家就不知道珍惜时间，也就不会努力了。”

“这倒是，”布鲁诺说，“不过，我从来没见过一株植物努力的样子。”

“话说你们地球人应该好好努力，过积极向上的生活，毕竟你们的生命有限，据我所知，大概只有一百年吧。”

“那你们高尔奇人能活多久啊？”布鲁诺问。

“我们生活在另一个时空，”我解释道，“我们的光能无法用地球时间来测量，我们没有秒、小时和天的概念。”

“我不知道你在说什么。”布鲁诺说。

“我们高尔奇人离开星球的时候，还会以光能的形式存在很久。以光能形式存在的时候，我们也会一直很积极，很亲切，负面攻击只存在于理论中……”

我越说越兴奋，突然，布鲁诺打断了我。

“那个讨厌的Y9是怎么回事？他对你来说可不太正面，是不是？我看你和他一点儿都合不来。”

“那你可就大错特错了！你怎么会这么想呢？Y9可是个不折不扣的好人，”我感觉不像是自己在说话，“他是个出色的数学家，我们的女编辑对他可满意啦。他知识渊博，人又勤奋，很乐于助人，而且总是很友好……”

我真不敢相信自己竟然说出这样的话。

哎呀！Y9的能量可害苦我了！他侵入我的大脑内部，影响了我的思维，还让我替他说好话！

我现在得集中注意力。

“啊？你们握手言和啦？”布鲁诺吃惊地说。

“怎么可能！”我终于又可以为自己说话了，“我一听到他的名字就火大！”

“你今天说话好奇怪，小古斯！”布鲁诺说。

“是啊，”我不得不承认道，“谁让我接收了Y9的能量呢？我得抵抗他对我的影响！这个坏家伙！”

就在这时，布鲁诺突然尖叫起来。

“咦？蚂蚁！怎么会这么大呢？”他一下子跳起来，害怕地紧紧抱住我！

第12章　危险重重

这时，一群红色的巨蚁朝我们爬来。它们排着整齐的队伍，让我想起了前段时间在6737g41星球上看到的丑陋生物。布鲁诺催促我赶紧离开。

“天哪！好恶心！”他说，“咱们快点儿离开这儿吧！”

可是太迟了！一只巨蚁挥舞双钳，夹住了布鲁诺的运动鞋。

布鲁诺抬起腿，想甩掉那只巨蚁，可它不甘示弱，死死地夹着鞋不放。布鲁诺一脸绝望。

看他身处困境，我连忙伸长手臂，帮他拿掉了巨蚁。接着，我抱起他朝下面的山谷飞去。

飞到一个山洞的入口处，我放下了布鲁诺。

“这是不是地球人住的地方啊？”我满怀期待地问布鲁诺。

“才不是呢！”他回应道，“这儿根本就没有人类。”

我们朝山洞里走了一小段，突然看到成千上万只奇怪的动物。布鲁诺告诉我那是蝙蝠。它们密密麻麻地贴在石壁上，看上去很有意思，我赶紧拍了几张照片。布鲁诺不敢再往前走了，催促我尽快到外面去。

“太恐怖了！”他喊道，“快离开这儿！天哪，快出去！”

“我的名字不叫天哪，布鲁诺！”我和他开玩笑。不过，我还是乖乖地跟着他走了出去。

出来后，我不自觉地测量起一根粗粗的树干，至于树冠上的叶子呢，我估计有四万二千片。我要把这些测量结果赶紧告诉女编辑，她肯定会表扬我。

我沉浸在自己的工作中，朦朦胧胧中听到布鲁诺抱怨道：“我要回家，小古斯，快带我离开这儿！”

布鲁诺的情绪越来越糟。他额头上冒出的汗珠也是一个不好的征兆。

唉，他这么哼哼唧唧的，让我怎么做重要的统计工作啊？

“我还想测量一下那几根树干，”我和他解释道，“女编辑还在等我测出的结果。你赶紧振作起来，让我安安静静地工作！”

“你说什么？我可不想再看到恐龙、巨蚁、蝙蝠之类的东西了！”布鲁诺喊道，“我已经受够了！哎，你的太空船到底在哪儿？我想回家！你到底听明白没有？”

他这么一吵，害得我根本无法集中注意力。有那么一小会儿，我非常后悔带他来这儿。

“只要女编辑一发来启程的信号，我就立马带你回家！”我向他保证，“不过，现在你最好别打扰我测量树干！”

我们高尔奇人和地球人对时间的感知不同，或许是因为地球人活得比我们短得多。至于我们离开布鲁诺的家到底多长时间了，我也说不准。

不管怎么样，布鲁诺越来越烦躁。他告诉我他现在饿得要死，得赶紧吃点东西。

“唉，我这个笨蛋，早知道带些吃的了！”他抱怨道，“恐怕我要饿死在这个地方了！”

“吃的东西不是问题！”说着，我从背包里给他拿出了一根特力味棒条和一包脆皮小吃。这两样东西口感很棒，而且还能让人迅速恢复体力，身心愉悦。这些都是我在高尔奇星球的分子厨房里研发出来的，之前告诉过大家了吧。

“这些东西太硬了，让人怎么吃啊！”

可惜布鲁诺的咀嚼工具太脆弱，根本咬不动我们高尔奇星球的食物。

“我帮你弄碎，”我建议道，“你负责吞下去就行了。”但他不喜欢这种进食方式，嘟嘟囔囔地说：“这些高尔奇星球的东西，吃了也没法消化！”

他气急败坏地跟在我身后，不停地发牢骚，四处张望，像是在寻找吃的。

“唉，要是现在能来一块维也纳猪排就好了！”我听他抱怨道，“或是一只美味的烤鸡！”

我必须转移布鲁诺的注意力。

这些食物我还不认识。布鲁诺说猪和鸡都是可以吃的地球动物。

“或许咱们在这儿也能找到这些！”我试着安慰他。

可惜我们在路上既没发现烤鸡也没找到维也纳猪排。不过，路边有很多美妙的小草，我盘算着测量一下它们的高度，并一一记录下来。这儿还有很多菌类和各种各样的浆果，但是布鲁诺对它们一点儿兴趣也没有。

我把草丛中传来的不同声音记录下来——号叫声、啼叫声和啾啾声。我和布鲁诺一致认为这些声音不是植物发出的，而是躲在植物丛中的动物发出的。

布鲁诺变得非常警觉，一句话也不说，不停地四下环顾。还好他不再打扰我工作了，这样最好。

我带他来到一个清澈的湖边，采集了几个水样，测量了水温，并把数据认真记录下来。我希望宁静的湖水能让布鲁诺放松下来。

“你想不想和我一起去高尔奇星球啊？”我问他。

“或许吧！”他嘟嘟囔囔地说。

“可是你在自己的星球都怕得要命，害我没法集中精力测量数据。你知道我可不想让女编辑失望！”

他满腹狐疑地看着我。

“你不需要一直重复做这个！”他生气地说，“你知道吗，小古斯？你现在说话的口气和Y9一模一样！你到底是怎么了啊？”

“很抱歉！”我回答，“我亲爱的同事Y9把能量传给了我，这股能量一直在试图控制我的大脑，我根本没法摆脱他！现在唯一的办法就是立马补充能量。”

“讨厌！讨厌！”布鲁诺一边生气地揉着头发，一边大声喊道，“你还真会挑时间，偏偏在这个节骨眼儿上脑袋不正常！”

看他气急败坏的样子，我决定说些积极的话来帮他转移注意力。

“总有一天，我会带上你的，布鲁诺！”我说，“你跟我一起飞往高尔奇星球。我带你看很多有趣的东西。你可以住在我的房子里！”

“可是我不能去你们那儿，”他低声说，“你上次不是说那儿的气候对人类来说很难适应嘛！”

我调动脸部肌肉，努力挤出一个微笑，可是这次却没成功。

“在未来，一切皆有可能！”我告诉他，“我坚信高尔奇星球的技术人员肯定能找到解决方案，侯悠正在朝这方面努力呢。”

“可我还是不太确定。”布鲁诺小声说。

湖面上飞起几只硕大的蜻蜓。其中有一只正要落在布鲁诺的头上，却被他厌恶地一摆手吓走了。

“滚开，讨厌的家伙！”他气急败坏地喊道，“小古斯，几点了？咱们快回太空船吧！”

“目前是两百Y高尔奇时间，”我回答，“也就是地球时间五点一刻。”

“天哪！我爸妈要担心死了！”布鲁诺一脸的不开心，“他们肯定回家了！”

“好吧！”我只好答应他，“为了不让你着急，咱们还是提前回太空船吧！这样等其他同事到了，咱们立马去你家！”

“太好了！谢谢！”布鲁诺立马打起了精神。

就在这时，附近草丛中突然跳出一只长着翅膀的动物，体型有布鲁诺的三倍大，两条后腿站在地上，拍打着巨大的翅膀，嘴里发出嘶哑的吼叫，两只大大的眼睛咄咄逼人地盯着我和布鲁诺。

只见布鲁诺一下子抱住我大声喊道：“天哪！快把它变成石头！”

“我办不到！”我无奈地回答。如果再用一次变形器，那会耗尽我所有的能量。

布鲁诺害怕得死死地抓着我的胳膊。

第13章　合上膏65

这只地球动物的脖子周围长着一圈扇子形状的膜片。它朝布鲁诺喷出一团黏液。

布鲁诺躲开那团黏液，却不小心摔了一跤，朝山坡下滚去，滚着滚着撞到一块有棱角的石块上，他痛得大声喊道：“哎哟！我的腿！”

那只动物受到惊吓，飞了起来。我俯下身子，它扑扇着翅膀从我头上掠过，叫着飞进茂密的树冠中。

“我的腿！我的腿！”我听到布鲁诺在哀号，“快来救我！我流血了！”

我连忙飞到他身边，发现他腿上覆盖的一层膜裂开了。只见一道长长的伤口汩汩地流出鲜红色的液体。我好奇地注视着他的腿，因为我从来没有见过人的血。我们高尔奇人的体液和地球人完全不同，要更浓稠一些，而且还是亮亮的绿色。

我把布鲁诺的血涂到分析器上，给他的伤口拍了几张照片。我打算在《大爆炸》杂志上发表这些照片，女编辑肯定会表扬我！

真有意思，布鲁诺看到自己的体液竟然那么恐慌，这么个小伤口又要不了他的命！

“该死！我得用绷带！怎么办？”他哭丧着脸说。

唉，这一次，我可算真正见识到地球人是多么脆弱，多么容易受伤了。人类能繁衍到现在，简直就是个奇迹。

“天哪，我的腿火辣辣地痛！”布鲁诺呻吟道。可我根本就没发现伤口着火啊。

布鲁诺的脸色越来越苍白，有那么一小会儿，我以为他要晕过去了。大概是他看到身体出血，影响到了他的整个神经系统。

“别紧张，布鲁诺！”我安慰他，“我给你把伤口合上。”

幸亏我的背包里有一支“合上膏65”。这种药是我们高尔奇技术人员早期的一项发明，也是每个高尔奇人的出行必备物品。

“这是什么东西？”布鲁诺问。

我觉得给他解释所有的化学成分太麻烦了，索性没搭理他。

布鲁诺皱起眉头，怀疑地看着我。我挤出亮亮的橙黄色药膏，涂在他的伤口处。

我用“合上膏65”给布鲁诺治疗伤口。

“我不敢看！”他紧闭着眼睛说道。

过了一会儿，我告诉他：“好了，伤口已愈合！”他这才迟疑地睁开眼，打量着受伤的腿。

伤口已经合上了，正如我料想的那样，天衣无缝。

“这怎么可能呢？”布鲁诺一边摸着受伤的地方，一边不可思议地说道，“一点儿痕迹都没有，连个疤都没留下！”

“很高兴能帮到你！”我开心地说。

布鲁诺还沉浸在喜悦中："这东西肯定能赚钱！说不定还能拿诺贝尔奖呢！小古斯，你是我的大救星！"

"我还没变成星星！"我纠正他道，"对了，诺贝尔奖是什么意思？我的硬盘上没存储这个词。"

"哦，我也不太清楚是什么意思，反正是个很好的东西。对了，你能把药膏送给我吗？"

"地球人用的话，就不管用了。只有配合高尔奇人身体发出的射线，药膏才能发挥药效。"

"啊，射线？"布鲁诺吃惊地问。

"嗯，我们高尔奇人都会发出射线，是合摩尔雷达射线。"我解释道，"我能发出九万纳米的射线。不知道你能听明白吗？"

"太酷了！"布鲁诺说。

"对了，咱们快回太空船吧！这个地方的确有些危险。"

我抱起布鲁诺，启动了飞行鞋。

"快点儿，小古斯！"布鲁诺嚷嚷道，"飞得再快点儿！"

我们越飞越高。快到太空船啦！马上就安全啦！马上就回布家花园啦！可是，这次我又失算了。我们高尔奇人没法预测未来，我根本没想到更糟糕的事情还在后面！

第14章 凶猛的暴怒巨兽

我之前把太空船的位置存到了硬盘里，所以我们准确无误地降落在侯悠–咤普号太空船所在的草丛中。

正如我所料，同事们都还没回来。我正盘算着要不要测量一下附近的矮草丛，突然听到一个可怕的声音。

声音正是从我们附近的灌木丛中传出来的，是那种低沉的咆哮声，让人听了胆战心惊！这是我听过的最恐怖的声音。我本能地摸了一下激光枪，突然想到它已经没电了，只好又缩回了手。

布鲁诺吓得撒腿就跑。他看到太空船的舱门还开着，立马冲了进去。

这时，一只强壮的地球动物从灌木丛中跑了出来，发出震耳欲聋的咆哮声。看样子，它闻到了布鲁诺的气味。

这只动物用两条强壮的后腿奔跑，两条前腿缩在身前，短得出奇。它巨大的头上嵌着两个豆粒般的小眼睛，正不怀好意地四下张望。

我一看就知道这准是只食肉动物，而且它现在急需补充能量。这不会就是布鲁诺提到的暴龙吧！我屏住呼吸，一动也不敢动。

眼下，危险迫在眉睫！

那只暴怒的巨兽正在往太空船里挤，想吃掉布鲁诺。它用身体一次又一次地撞击太空船。

侯悠–咤普号太空船光亮的外壳是用坚硬的钽做成的，肯定能扛得住巨兽的撞击。不过，我还是很担心。

巨兽至少有四米高，还不停地狂怒咆哮着。我把它的图像拉近放大一看，发现它长了满口尖锐的牙齿。它这一口咬下去，我那地球好朋友的娇嫩皮肤绝对扛不住。

当然，我的身体虽然有高尔奇金属制成的保护层，但肯定也抵挡不住那个庞然大物。我不敢再往下想了。

我拜访过很多星球，也经历过几次死里逃生，但这一次却非同寻常。

现在，布鲁诺就站在操控舱的窗前。我看他已经吓得不行了，连忙转动脑瓜。紧急情况下，我的大脑处理器会自动高速运转。我甚至能感觉到电子脉搏让我的脑盖热了起来。

这时，狂怒的巨兽发现了敞开的舱门，一下子挤进了太空船。

“布鲁诺刚才怎么没关舱门呢？侯悠干吗把舱门设计得这么大？”我暗自嘀咕。

可这些都是地球人才会问的傻瓜问题。现在木已成舟，无法改变。我只好从植被的掩护中飞出来，飞到舱门口，小心翼翼地打量着太空船内部。

接下来的场景我真是想都不敢想！巨兽用庞大的身躯一次次撞击操控舱门，现在不只是布鲁诺的小命难保，我们的整个驱动系统都危在旦夕。

因为操控舱的门不是用钽制成的，而是用较薄的普雷斯–掏克制造的。

“快想办法！”我听布鲁诺大声喊道。

突然，那个庞然大物停了下来，猛地转过头阴森森地看着我。它那满是疙瘩的表皮上有很多宽宽的疤痕，嘴里还不住地流出臭臭的唾液。

要不要赶紧变形，或者缩小？我现在的能量还够吗？

我通过变形大概还能保命，可是布鲁诺该怎么办呢？我的脑瓜绝望地搜索别的方案。就在这时，我突然想到一

个妙招！我伸长鼻子，朝狂怒的巨兽喷了一些小星星。效果立竿见影！

巨兽咕噜咕噜地叫了几声，抬起短短的前腿，左右摇摆起来。它长长的尾巴敲打着地面，两条后腿交替落地，整个身体有节奏地舞动着。它的两只豆粒般的眼睛闪着开心的亮光，嘴边竟然咧出了一个微笑。

看来危险终于过去了！现在巨兽的心情好得出奇，应该没什么威胁了。

可我没想到，它跳了一会儿舞，突然又朝操控舱奔去，继续用力地撞门。看来危险并没有过去。巨无霸还记着布鲁诺。它撞门撞得一次比一次猛烈。

我的脑盖也越来越烫。看来主处理器的分流器快要烧掉了，真是屋漏偏逢连夜雨。我离开太空船，坐在草地上，用哆哆嗦嗦的手指摸向控制器。

我没有别的选择了。

我只好按下紧急求救按钮。

第15章　暴龙变身小猫咪

每一个收到紧急求救信号的高尔奇人，无论正在做什么，也无论身在什么地方，都必须立刻赶到求救者身边。这是我们高尔奇星球最重要的规定。

我估计同事们应该都离得不远。真希望Y7能第一个赶过来！她很有经验，肯定能帮我们脱离险境。

过了一会儿，没想到第一个赶到的竟然是Y9。

“你干吗老是打扰我工作？”他不耐烦地问道，“你发送紧急信号啦？怎么了？那是什么叫声？”四个傻瓜问题！

“快给我你的激光枪！”我朝他喊道，“太空船里跑进去一个凶猛的地球野兽！它正在撞击操控舱的门！”

“地球野兽？”Y9摇晃着鼻子说，“我没带激光枪。那玩意儿我经常不带，况且这次是集体出游。你干吗不用小星星啊？”

“早就用过了，不管用！”我喊道，“布鲁诺现在有生命危险！驱动系统也快完蛋了！”

“有什么好紧张的？用变形器不就得了！”他建议道。

“我的能量已经快用完了！”我不耐烦地说道。

“那就用我的吧！”Y9建议道，“超棒的设备！还是女编辑在我第五百次程序更新时送我的。”

“快给我，废话少说！”我喊道。

他没好气地从手腕上解下变形器递给了我。

我鼓起所有的勇气，手里攥着Y9的变形器，又一次飞进太空船。巨无霸还在撞操控舱门。

没想到门还挺结实的，不过眼看着它裂开一个大口子，我估计它也坚持不了多久了。

就在这时，操控舱门一下子被撞开了，巨兽怒气冲冲地跑进操控舱，用右腿猛地踩踏驱动系统的电池。

启动变形器！

变形器的光落到巨兽身上，没什么动静！看样子，变形器对这个巨无霸没有效果！怎么办？情急之下，我只好朝它庞大的身躯又按了一下变形器。巨兽被光束击中，身体开始猛烈颤抖起来。它用尽最后一丝力气转向我，露出满嘴尖利的牙齿。我吓得差点儿昏过去。紧接着，我听到一阵短促的喘息，不到半秒钟，巨兽就缩成了一个小不点儿，大小跟布家的小猫差不多。它的咆哮声听上去就像嘶哑的呻吟。它蹦跳着从我身边跑过，跳出太空船逃之夭夭了。

Y9站在外面的草地上，吃惊地看着那个小不点儿跳进浓密的植被中，眨眼工夫就不见了。

“就因为这么一个小不点儿，你就被吓破胆了？真是让人笑掉大牙！”Y9对我说道。

“什么小不点儿？是个巨无霸！你没看见它刚才的样子！它一脚就能把我们踩个稀巴烂！”

“什么巨无霸？别搞笑了！你知道我最讨厌别人打扰我工作！”

小不点儿逃之夭夭。

“就你的工作重要？我的工作一点儿都不比你少！我给女编辑收集了很多信息！我测量了草和树干，还数了很多叶子！我敢肯定我比你还认真！”

“啊？”Y9吃惊地说，“什么？你犯什么病了，一下子像变了个人似的？”

就在这时，Y1飞了过来，紧随其后的是Y7。

“一切已经恢复正常！Y3刚才受了点儿惊吓，”Y9说道，“就因为一个小不点儿，长得跟地球上的猫似的。”

“真是搞笑！”我说着把变形器还给了他，“随你怎么说吧！不过还是谢谢你的慷慨救助！”

Y9甩了甩鼻子说道：“小事情，亲爱的同事！下次再看到小不点儿，尽管告诉我啊！”

我没再搭理他，径直朝布鲁诺飞去。不知道他怎么样了。

我飞进操控舱，看见他缩在角落里浑身发抖。看样子他被吓得不轻。

“是暴龙！刚才那是只暴龙！”他低声嘟囔道。

“现在你已经脱险了，”我安慰他，“站起来活动活动吧！刚才那只动物已经被我缩成了小不点儿，逃之夭夭了。”

“那是一只暴龙！天哪！到底发生了什么，你能给我解释一下吗？”布鲁诺追问道。

“这我怎么知道呢？你是地球人，应该比我清楚才对啊！”我回答，“不管怎么样，我今天算是见识到了，你们的暴龙可不是什么好惹的东西！”

“太离奇了！”布鲁诺小声说。

我扶他站起来，带他穿过闸门来到休息室，让他好好休息一下。

“在这儿，你感觉不到地球引力，”我告诉他，“你可以飘浮着补充能量。银河光束会平复你的中央神经系统。”

布鲁诺刚踏进休息室，就放松了下来。他平缓地滑进外围的光能轨道，不一会儿便飘浮在房间中央，闭上了眼睛。银河光束照在他身上，让他的整个身体看上去像是透明的。多么惬意啊！等他再次醒来，他就会忘记刚才发生的一切。我放心地离开他，飞到外面，看看别的同事有没有回来。这会儿大家都回来了，正激烈地谈论着什么。

“怎么了？”女编辑问道，“是谁按了紧急求助按钮？”

“Y3！”Y9抢先回答道，“就因为一个小不点儿追着布鲁诺不放。我们刚才已经用我的变形器把问题解决了。很高兴能让布鲁诺短暂的地球生命再稍微延长一些。”

“你做得很好！”Y4和Y5异口同声地说道。其他同事也甩甩鼻子表示赞同。

“你这个吹牛大王！”我生气地喊道，“是我救了布鲁诺，跟你没关系！你根本就不知道太空船里发生了什么！”

Y9不动声色地说：“此外，我还顺便挽救了太空船的驱动系统，因为那只野兽闯进了咱们的操控舱。”

“不错！不错！”Y4和Y5齐声喊道。

“是我的功劳！”我又一次高声说，“你只不过是提供了变形器，仅此而已！”

“没错儿！”Y9说，“没有我的帮助，你恐怕早就死了！”Y9竖起了头上一边的角，继续说道，“看样子，我们亲爱的同事Y3连最简单的局势都没法控制！”我一听火就大了。

同事们窃窃私语起来。女编辑用四只手做了一个警示手势，大家这才停了下来。

“很好，亲爱的Y9！”她说道，“你是最值得信赖的！我看大家都应该以你为榜样。此外，我非常希望大家能共同……”

我听不下去了，转身飞回操控舱连接能量补充器。美味的能量一下子流进我的身体，给了我新的力量。我能感

觉到Y9的能量正从我的体内慢慢消失。

终于恢复原本的自己了！

终于可以松口气了！

不过，就在能量补充到88%的时候，补充器突然停了下来。我检查了一下，吃惊地发现，能量补充器的电量显示为0，这是怎么回事？不太可能啊，能量补充器是连着中央电池的啊。

我从背包里拿出无线电收发器，打算给侯悠发条信息，没想到我的无线电收发器竟然也显示电量为0。我试了试直接连接中央电池，结果也行不通。主系统显示能量损失99%，拒绝给收发器充电。我气呼呼地把收发器拔出充电插座，猛地扔到太空船外面。我看它落进不远处一个浑浊的水洼里，咕噜一声沉了下去。

“真正的高尔奇人是不会这么做的！”我的脑海中浮现出这句话。我对自己的行为也吃惊不已。

我怎么这么鲁莽呢？我知道自己的整体状态不太好，肯定又是地球大气惹的祸。我得赶紧去休息室躺一躺了。

可是，眼前这个烂摊子该怎么办？

中央电池一下子损耗这么多电量，情况堪忧。看来是暴龙刚才那一脚踩的。99%的电量损失！这下子完蛋了！

我很清楚，没有足够的电量，太空船根本无法起飞！我们被困在地球上了！

第16章　送布鲁诺回家

我立即通知同事，太空船遭遇了巨大的电量损失。

“中央电池受损！电量损失99%！”

女编辑满脸不信任地看着我：“电量损失？你确定吗？”

“让我来看一下！”技术专栏的专家Y2说。

她走上前去，我、Y9、Y6和女编辑跟在后面，一起走进操控舱。Y2掀开了受损电池的盖子。

“我看看能不能启动ZINUBISTRAL5A77，”Y2低声说，“这个系统应该可以校准QUOTROFF978的电路板。或许还可以使用REPOTIX65Z209。”她说得这么专业，看来对系统很熟，一下子让我放心不少。

“激活REPOTIX65Z209的前提是，得有一个FUGG13a！”Y9这个百事通插话道，“不要忘了FUGG13a哟！”

Y2狠狠地瞪了他一眼。她现在要集中精力，不想受到干扰。

她弯腰仔细检查了电池复杂的内部系统，一会儿动动这儿，一会儿摸摸那儿，最后满脸无奈地说：“13a坏了！”

“什么意思？”女编辑问。

“电池坏了，我们无法启动太空船。”

“什么，我们被困在这儿了？”女编辑吃惊地说，“还有别的办法吗？有B计划吗？”

“我们可以导入高温，”Y2说道，“如果把电池加热到一千摄氏度的话，它可能就会自动充电了。”

“那我们可以用激光枪来加热。”女编辑建议道。

Y2立马否决了她的提议：“激光枪会损坏电池，这个方法行不通。”

“我们可以用火山熔岩来试试，”地理学家Y6建议，“离这儿不远处有一座火山，炽热的岩浆能达到约一千摄氏度的高温，我们可以想办法把岩浆产生的电流引过来。”

这个提议让女编辑惊呆了。

“这个主意不错！不过，咱们怎么让火山喷出岩浆呢？”

“可以用激光枪！”Y6说道，“如果我们所有的人同时把激光枪对准火山发射，估计能引起火山喷发。因为激光能让火山内部的气体变热，进而提高熔岩内部的压力。”

“那咱们就试试吧！”女编辑说。

Y2把电池拆下来，拿到外面，为Y6的熔岩计划做准备。

我待在操控舱里没出去，反正我的激光枪坏了，也帮不上忙。Y2人还不错，把收发器借给了我。她的收发器电量充足，还可以用。我赶紧给亲爱的侯悠发了一条信息。

我给她讲了暴龙的事，还告诉她中央电池受损，急需她的帮助。当然我还告诉她现在只能通过Y2的收发器联系我。

：悠侯的爱亲

！坏时好时儿这我

！险危级超物动球地

！损受池电央中

？吗们我帮帮能你

！！！复回快尽

，我系联器发收的2Y用请

。了去里洼水到扔我被经已器发收的我为因

3Y

我等了好一会儿，侯悠一直没回复。难道她把我忘了？我失望地离开太空船，走到了外面。

坏掉的电池躺在草丛中，有两根长长的金属导线一直连接到那座小火山。Y6正绕着火山飞，想多缠上几圈导线。

能行吗？我现在很怀疑这个方案的可行性。用火山来充电，实在太大胆了。停！我现在怎么变得这么消极了呢？我怎么怀疑起同事的专业知识了呢？

大家站在火山口，只听女编辑一声令下，6杆激光枪齐刷刷地对准了火山正中央。

过了10秒，激光终于引起了火山内部气体的爆炸。

突然一阵雷鸣般的响声传来。所有的同事赶紧飞离火山，躲到太空船后面。

接着，火山口传来啪啪啪的声音，像是成千上万的火苗一下子燃烧起来。突然又一声不响了，安静得出奇。

“注意！火山马上就要喷发了！”Y2警告大家。

Y2话音刚落，轰的一声响彻天空，紧接着炽热的火山熔浆从火山口喷涌而出。

我听Y6兴奋地喊道："太好啦！"

一条宽宽的火山岩浆带从陡峭的火山锥上流淌下来。一千摄氏度高温的熔岩嗞嗞地流过导线。

"成功啦！"女编辑兴高采烈地喊道，"电池热起来了！"

同事们齐声鼓掌欢呼，电池的控制灯也闪了起来。

此时，天空布满了深灰色的灰尘，岩石碎块和炽热的火山岩也从天而降，我们只好躲进太空船。

看到一切进展顺利，我当然非常开心，不过我心里一直惦记着侯悠，琢磨着她为什么没给我回复。说不定她有更简单的办法来重新激活能源系统。

等火山喷发平息后，Y2把电池又装进了太空船。驱动系统显示一切正常。

"看，我的点子不错吧！"Y6得意地对同事们说。

大家一致对他表示赞赏。女编辑说道："我们要在杂志中开个专栏，对此进行详细报道！"

"我也要申请个专栏！"Y9喊道，"报道一下我的测量结果！"

幸亏女编辑没搭理他。

"亲爱的同事们，"她继续说道，"我想现在是时候回到咱们漂亮的高尔奇星球啦！不管公司出游多么惊心动魄，它终归要结束，现在我想咱们……”

“啊，这么匆忙？”Y8打断她的话说道，“我们还没看到意大利人呢！”

“Y8说得没错儿！”Y4和Y5异口同声地说道，“我们还想拍几张意大利人的照片呢！对了，Y3，意大利人到底在哪儿啊？你不是告诉我们这儿有很多吗？”

这个问题问得我好尴尬。

“按理说，这儿应该有很多地球人才对，”我解释道，“可就连布鲁诺也没法解释为什么地球同胞都不见了。”

“对了，布鲁诺去哪儿了？”女编辑问。

“在休息室，”我回答，“他的神经系统有点儿紊乱，急需修复。”

Y8从粗粗的鼻子里喷出一股热气说：“他怎么这么敏感呢？到底怎么回事？”

“他想赶紧回家，”我解释道，“他爸妈肯定在等咱们呢。不是说好一起吃烧烤吗？你们都不记得了？”

同事们摇了摇头。

“我建议大家立即启程，去布家花园。”我说。

“反对！”Y9喊道，“我想立即回高尔奇星球，我同意女编辑刚才的建议！我还有很多事情要做，没那么多时间休假。再说，地球我已经看够了，比这好的星球多的是呢！”

我真是不喜欢Y9。

“那布鲁诺怎么办呢？”我问，“难不成把他带到高尔奇星球？他想回家！”

“啊，为什么？他直接待在这儿不就好了？”Y9反驳道，“有什么问题吗？”

“我对他可要承担责任啊！”我大声说道，“是我带他来这儿的。我们绝对不能把他一个人放在这蛮荒之地！”

“蛮荒之地？”Y8说，“我看Y9说得很有道理。反正这儿也是布鲁诺的星球，他可以自己走回家嘛。”

“你们都怎么了？”我气呼呼地说，“绝对不能留布鲁诺一个人在这儿！”

真有意思，我竟然跟地球人似的和同事争吵起来。在高尔奇星球，我是绝对不会做出这种事情来的，即使有分歧，大家也会心平气和地解决。

Y6摆出一副惯常的无聊神情说：“我无所谓。我是想回家，不过，早一会儿晚一会儿都无所谓。随便啦。”

“安静！”女编辑四只手叉腰，表情严肃地说，“我做出如下决定：先把地球人布鲁诺送回家，交给他爸妈，在那儿吃会儿烧烤，再回咱们美丽的家园。”

我点了点鼻子，表示赞同。

“现在，我建议大家补充一下能量，”女编辑说，“来点儿芙拉斯威化饼和脆皮小吃吧！”

第17章　真相大白

大家一起在享受厅吃着各种美食，我朝休息室看了一眼，布鲁诺还浮在光束中，两眼微闭，嘴角挂着地球人特有的微笑，看样子一切正常。

我飞到操控舱，在控制台坐了一会儿，看了看导航仪。我想确定一下Y9有没有正确输入意大利的坐标。

系统显示我们目前的坐标：北纬48度，东经11度。这不就是布家的坐标吗？

那就是说，我们根本没离开布家花园！这怎么可能呢？

我立马调到934控制模式，检查了一下PEXAFLEX和LOPP系统，这里同样显示目前的坐标是布家花园。

“你在这儿做什么？”

我吓了一跳，转身一看原来是Y9！

“你在这儿鼓捣什么，Y3？”他怒气冲冲地看着我，

“这儿只有我一个人可以动！快闪开！赶紧！”

“不用紧张！我就来看一下坐标，”我说，“我想知道咱们为什么没降落在意大利！”

“让我来看看！”Y9一下子变得紧张起来，“快把你的手从控制台上挪开！”

就在这时，我的目光落在了FLUXATOR上。那个小红盒子的控制灯亮着，肯定有什么人打开过它。

“不会是你打开了FLUXATOR吧？”我吃惊地问，“真是出人意料！”

现在我终于明白了，原来Y9犯了一个弥天大错。

“和你无关！”Y9尖声说道，“你懂远距传物吗？重叠量子物体的状态改变，你懂吗？我看你什么都不懂！”他催促我赶紧离开控制台，可我就是不动。

“你无权打开FLUXATOR！”我说，“大家都知道，这个功能还处在测试状态！侯悠曾严令禁止我们碰这个按钮！”

“那又怎么样？”Y9高声说，“我只是小试了一下牛刀而已。”

FLUXATOR是我们技术部最新的发明，是一项近乎革命性的发明。

因为这是一个时空机器。

我把Y9推到一边，快速敲打键盘想重新创建FLUXATOR的连接。

如果我没猜错的话……后果真是不堪设想。

“快闪开！”Y9着急地喊道。他死死地拽住我的胳膊，不过，我还是一下子把他推开了。

成功了！FLUXATOR的界面出现了，我点击“确认”进入。

上面显示我们降落在了另一个时间点。

六千五百万年前！

原来如此！现在真相大白了！我终于明白为什么会出

现这么多奇怪的地球动物，为什么布鲁诺连自己的星球都不认识了。

“原来是你搞的鬼！”我一把拎起Y9说，“你是故意的！竟然让我们一直蒙在鼓里！女编辑要是知道了，肯定让你吃不了兜着走！”

Y9立刻脸色苍白。

“可是亲爱的同事，”他故作讨好状说道，“咱们完全可以不用告诉女编辑！你积极点看待这件事情嘛。你看，咱们来了一次时空之旅，收获了那么多有趣的体验。不是每个人都有机会参观蓝色星球的过去哟！”

“你发哪门子神经！”我气呼呼地对他说，“赶紧把程序复原！”一想到我们正在六千五百万年前，我就感觉很不舒服。

“无论如何，我不想让女编辑知道我犯了个小错误！”他大声对我说，“你明白吗？”

他又原形毕露了，这个不知悔改的家伙！

“你最好什么都不要告诉她！”他抓着我的鼻子，把我从控制台上拉下来，害得我一下子摔倒在地上。他还没放过我，两只手用力地掐住了我的脖子。

他这是疯了吗？真是太不可思议了。高尔奇人从本性来说都是很友好的，但Y9现在活脱脱像一个好斗的地球人！

“除了我，没有人能让FLUXATOR复原！”他大声说，“只有我知道登录信息，所以你最好给我闭嘴！”

我急促地喘着气说：“如果我就是不听你的呢？”

他把我的脖子掐得更紧了。

“那……那我就删掉所有信息！大家都别想回去了！”

我眼冒金星，快喘不上气来了。我用尽最后一丝力气，朝着他的脸喷了些小星星。他立刻就松开了我。

“哦，很抱歉！”他低声说着把我扶了起来，“我不想弄疼你，亲爱的同事！看，今天阳光多明媚啊！”

他一下子脱胎换骨，高兴地蹦来蹦去，双手打着拍子，黄色的身体变成了橙黄色。

“今天，多么美好的一天啊！今天，一起畅快地享受吧！”他一边喊着，一边原地转了几个圈。

这还差不多！我做了个深呼吸。当务之急就是要把FLUXATOR复原，带大家回到现代！

“能把登录信息给我吗？”我故作友好地试探他，“你肯定很乐意帮我，对不对，亲爱的同事Y9？”

他做了个倒立，双腿乱舞了一阵，嘴里不停地唱道：“好啦哩！好啦喽！好啦哩！好啦喽！”

“快给我FLUXATOR的登录信息！”我稍带严肃的语气

说道，“要不我去叫女编辑来啦！”

“好啦哩！好啦喽！”Y9又唱道。他猛地正立过来，一副兴高采烈的神情。

难道“好啦哩好啦喽”就是登录信息？

我不敢轻易尝试。他现在满口胡言乱语，看来完全被我的小星星搞晕了。

他这会儿趴在电脑旁边的地上，卖力地做起了俯卧撑，头上的角跟着上下舞动，样子十分滑稽。

看样子，我没法和他正常沟通了，他这个状态根本帮不上我的忙。

我只好试着和高尔奇星球的技术部取得联系。

侯悠成了我唯一的救命稻草。我通过中央无线电收发器给侯悠发了一条呼救信息，告诉她时空机器已启动。

：悠侯的爱亲

！况情急紧了到遇们我

！器机空时了动启9Y

？原复序程让何如该我

……要需我

就在此刻，我突然意识到，一切都是徒劳。

侯悠根本就不存在！现在可是六千五百万年前啊！

这下子我完全不知所措，鼻子抖得更厉害了。幸亏此时大脑向我报告了最后一个可能性。我可以窃取Y9的硬盘，调出登录信息！眼下，我得先让他平静下来。

我从背包里拿出一根特力味棒条，放到他的鼻子前。他立马拿起棒条，塞进了嘴里。

他吃得津津有味。刚才的棒条是地球人的食物——比萨的味道。

趁他吃得正香，我掀开他的脑盖，把我的传感器连到了他的电路板上，这样便可以把所有需要的信息转到我的

硬盘上了。

我发现他的大脑里有很多无用信息。不过，因为Y9把信息都整齐地分类存放，所以我很快就找到了FLUXATOR的登录信息。

我顿时松了口气。一切都会好起来的。大家马上就可以回去了。

可是我刚合上Y9的脑盖，就听到雷达系统传来警报声。我看了看控制界面，发现一颗巨大的小行星正朝地球飞来。

再过429秒，这个天体就会撞击地球。

第18章　突如其来的小行星

这时，女编辑走进了操控舱。

“你们躲在这儿干吗？”说着，她的目光落在了Y9身上。只见他四仰八叉地躺在地上，两条腿不住地乱舞，嘴里嚼着特力味棒条。

“哎，Y9，你怎么了？”

“先别管他了，快来看这儿！”我指着雷达界面对女编辑说道。

“还有407秒，小行星就要撞击地球了！”

“哦，还真是个大个儿！”女编辑低声说道。她睁大三只眼看着屏幕，猛地意识到这次撞击对我们来说意味着什么。

“这么大的小行星撞击会产生灾难性的压力波，”她说道，“整个地基都会坍塌，而且还将产生温度很高的热流，这股热流会蔓延，波及很大片的区域！”

我努力让自己再耐心一些，心里暗暗祈祷她可别在这种情况下长篇大论。我看了一眼显示器，还有328秒。

“我们快没时间了！”我还是忍不住大声喊道，“咱们得赶紧行动！赶快从这儿离开！”

可她还是雷打不动地继续讲述道：“还会产生剧烈的地震和巨大的海啸。同时，会有大量的粉尘、煤烟、石块碎屑和各种气体充斥在大气中。它们将遍布整个地球大气层，还会造成大面积酸雨，天昏地暗。接下来，冷空气将袭来，因为缺乏阳光，所有幸存下来的植物都会死亡，所有的动物也会跟着……”

还有253秒。

“好啦，好啦！”我粗鲁地打断她，“我们必须立马启动激光枪——防御——火箭！”

“现在太迟了，我们已经没法改变小行星的飞行轨道，”女编辑说道，“即使粉碎了小行星，巨大的碎片还是会降落到地球上。我们终将难逃此劫。”说完，她陷入了沉思。

“对了，我们还在过去！”我连忙说道，“咱们正在六千五百万年前！”

“什么？我们在过去？”女编辑不知所措地看着我。

“嗯，Y9启动了FLUXATOR。”

“什么，Y9启动了时空机器？他疯了吗？”女编辑气急败坏地喊道，“可是，他从来都不犯错的啊！”

“结果一犯就是大错！”我说。

女编辑的三只眼看向Y9，只见他还坐在地上，津津有味地吃着棒条。过了好一会儿，她才意识到这个大错产生的后果。

我又看了一眼显示器：107秒。剩下的时间不多了。

“我们该怎么办？”我问，“我们要不要摧毁那玩意儿？”

“不，绝对不能！”女编辑坚定地说，“按常理，我们不能干预历史的进程，即便是牺牲自己的生命也在所不惜。不过，我们还有一线生机，那就是赶紧回到现代。你能做到吗，Y3？”

“我试试吧！”我回答，“我刚才获取了Y9的信息！”此时，屏幕上显示距离撞击还有82秒。

“那就快试试吧！还等什么？我完全信任你！”

我坐在键盘前，输入了时间机器的登录信息。

系统确认。我们终于进入FLUXATOR系统的控制界面了！

还有49秒。

我必须给FLUXATOR系统输入代码。我集中精力，因为现在可不是犯错的时候。

还有35秒。

“快点儿！”
女编辑催促道。

我一个数字一个数字地输入了代码。

“快点儿！”我听女编辑担忧地说道，“离撞击还有14秒！”

代码终于输完了。我用颤抖的手指输入了想要前往的日期。

还有3秒！

我按下了确认键。

第19章　终于回来了

随着一声震耳欲聋的撞击声，我被甩到了操控舱的墙上。我的身体系统自动转为待机状态，接着我就失去了意识。

我再次醒来时，发现女编辑一动不动地躺在地上。我检查了一下她的操控器，发现她还有生命迹象。

我摸了摸自己的天线和身体，一切正常。电池也显示电量充足。

Y9也躺在地上。棒条已经被他吃了个精光。这会儿，他睁开眼，气呼呼地看着我，看来我的小星星对他已经没有效果了。

“你在这儿干吗，Y3？快给我出去！我是这儿的指挥员！”

他跳起来，飞到驾驶座上。

我挣扎着爬起来，发现外面正是布家花园。

一切恢复正常，我心头的一块巨石落了地。终于又回到现代啦！

“你在这儿鼓捣什么呢？”Y9没好气地对我说。他盯着屏幕，在键盘上敲了一下。

“还没轮到你来训斥我！还是赶紧看看女编辑怎么样了吧！”我冷冷地说完，离开操控舱。我要去看看布鲁诺，希望他没出什么意外。

在通往休息室的闸门前，我碰到了同事Y4和Y5。

“怎么回事，Y3？刚才怎么又是一声巨响？”

“咱们刚才已经按照计划回到地球人布家的花园了。”我给他们解释道，“一切正常！”

Y4和Y5这才放了心。

休息室的入口处放着备用工具箱，我知道密码，便输入EW722355，打开箱子盖。太好了，里面有一个崭新的电量满满的无线电收发机，我拿起来放进背包，顺手拿出变形器放进工具箱，换了一个最新款的。

之后，我走进休息室。布鲁诺已经醒过来了。看来银河光束对他的神经系统帮助很大，现在他看上去精神状态很好。

“天哪，这一觉睡得真香！”布鲁诺说，“对了，咱们到意大利了吗？我快饿死了，饿得能吞下一头牛！”

成功了！看来他把恐龙的事全忘了。这样最好！我终于放心了！

“到家了！”我告诉他，“我们没去成意大利。Y9犯了个低级错误，害我们去了另一个时空，但是我又把时空换回来了。”

“什么？竟然有这种事情？”布鲁诺吃惊地问。

我给他讲了几件旅途中的小事情，但他根本就不相信。

“你胡扯吧，小古斯！”他哈哈大笑着说，“只有科幻片中才会有时空旅行！”

他竟然不相信我，看来他不知道我们高尔奇人只会讲真话。

“不过，我这一觉睡得很香甜！”他伸开双臂，打了个哈欠，“真是神了！我竟然还梦到了恐龙。你能想象吗？一只暴龙追着我跑，真刺激！幸亏我及时醒过来了！”

“太好了！”我说，“醒来一切就恢复原样啦！看你这么开心，我也很高兴呢！”

“是啊，我精力充沛，就是肚子饿了！咱们赶紧去吃烧烤吧！”布鲁诺说。

我们走出太空船，飞到布家花园的地上。一切还是老样子，丝毫没有改变。

Y2击碎的割草机还躺在花园小屋的旁边，猫趴在屋顶上，睡得正香。

同事们陆续飞进露台，坐在准备好的白椅子上。女编辑舒舒服服地躺在布爷爷的花纹躺椅上。

Y7发现了拴在两棵树间的吊床，赶紧拍了些照片。闲不住的Y9爬上对面的丁香树，启动了他的测量设备。

“我得赶紧去撒泡尿，马上回来！”布鲁诺说着跑进他家的石屋。同事们一脸吃惊，我连忙给大家解释地球人会把吃过的多余食物和水从体内排出来。这是非常重要的身体机能，因为地球人无法完全吸收摄入的食物。

我飞到花园小屋旁，利用这个间隙又给侯悠发了条信息。我告诉她危险已经过去，我们又回到了现代。随信给她发去一束阳光。我的新收发器棒棒的。

：悠侯的爱亲

，去过经已险危

！代现了到回又们我

！好都切一

。你起想常经

3Y

很快我就收到了她的回复，我开心得都快蹦起来了。

：事同的爱亲

，息信的你到收兴高很

！们你心担很直一我

。们你佑护光之奇尔高望希

悠侯

第20章　布家聚会

不一会儿，布爸爸和布妈妈就出现了。

“天哪！小外星人！是真的！”布妈妈看到我们坐在花园椅子上，大声说道。

她拿出一个老式数码相机，给我们拍了一些照片。

“你们能笑一笑吗？”她问。

高尔奇人天生不会笑，没办法，只有我能做出微笑的样子，看来她已经相当满意了。

“我们开心很烧烤一起来。”女编辑用蹩脚的地球语说道。

“我们都很开心！”同事们齐声欢呼。

“现在赶紧烤起来吧！”布鲁诺说，“我都快饿死了！”

“真是天大的奇闻！”布妈妈激动地说，“小古斯，你竟然真把同事给带过来了！”

“好吧，咱们立马开动吧！”布爸爸说道。说着，他便清理好烧烤设备，往银色的金属盘里放了一些黑色的木炭。

女编辑用高尔奇语对我说：“？啊物礼备准们他给有没有你”

“啊，礼物？”我非常吃惊地说。说实话，我根本就没想到礼物这回事。

“地球人一家这么友好，我们该送个礼物给他们，”女编辑说，“作为友好的表示嘛！”

“我有个好主意！”Y6说着连忙飞进太空船，捧回四枚蛋。

“你从哪儿找的呀？”我吃惊地问。

“是地球动物的！从意大利带回来的！”Y6解释道。当然我很清楚大家根本就没去成意大利。这些蛋是六千五百万年前的，也就是那些恐龙的！

Y6非常隆重地把恐龙蛋递给了布妈妈。女编辑用地球语说道：“愿阳光你们星球赐予永远的和平和欢乐！礼物是高尔奇人我们友谊的象征。”

“哦，蛋……太棒了，谢谢！”布妈妈说。

“这是真正的恐龙蛋！”我插进来说道，“我担保这是六千五百万年前的！”

Y6把恐龙蛋递了过去。

“啊，恐龙蛋？”布鲁诺小心翼翼地摸着恐龙蛋说，“太酷了！哪儿弄来的啊？不会是从博物馆偷的吧？”

“看上去和鸡蛋差不多，”布爸爸说，“就是大了点儿而已。”

“你这是什么话啊！蛋肯定能用得上，先放进冰箱里吧！”布妈妈说。

“小心点儿，妈！”布鲁诺大声说道，“这些恐龙蛋可是价值连城哟！”

布妈妈把我们送的礼物放进屋里，拿来一些烧烤用的肉和几根香肠。

我给吃惊的同事解释这些都是用地球动物的肉做成的。

布爸爸准备点火，对我们说："小心点儿呀！"

同事们吓了一跳，不过看到火势没蔓延，便放了心。

布爸爸把肉放在烤架上，布妈妈又拿出了面包、三瓶啤酒、烧烤酱汁和餐具。餐具有刀和叉，据说餐具能简化我们的进食步骤。所有高尔奇人鼓捣着刀和叉，都不知道怎么用。最后还是布鲁诺给大家解释了一番。

Y9无论如何也不想吃地球动物的肉，他从太空船里拿出了一箱谷赐汤、脆皮小吃和特力味棒条。但是布家人对我们的食物丝毫不感兴趣。说起来我还有点失望呢，因为这毕竟是我临行前亲自下厨做的。不过，我回想起布鲁诺吃棒条的尴尬场面，看来地球人的咀嚼工具不太适合咀嚼我们的食物。我正准备把一份番茄酱吸进鼻子里，脑瓜儿不停地盘算着把这个味道加到我们的披油里面，就在这时，布爷爷走进了花园。

"啊，外星人派对！"他看到我们大声说道，"原来是小古斯来啦！"

见到布爷爷我也很开心，连忙伸出弹簧臂和他握手问候。同事们也一一照做。

“你们都来自高尔奇星球吗？”布爷爷好奇地看着大家问道。

“如此正是！”女编辑说道，“我们杂志社出游集体，高兴很，认识地球人你们。”

“那就好！”布爷爷说道，“小古斯已经来两次了，他可是个顶呱呱的象棋高手！小古斯，今天咱们再较量较量吧。”

虽然有点吃惊，不过我还是立马答应了他：“好啊，很乐意和你一起下象棋。”我心里很清楚布爷爷的水平不高，因为地球人的大脑能力是非常有限的。

“来块牛排吧！”布妈妈对布爷爷说。

布爷爷叹了口气说：“我还不能吃硬的东西，刚才去看牙医，换了一个牙套。”

“牙套？那是什么啊？”《扯淡》专栏的Y4和Y5齐声问道。其实，牙套我也没见过。Y4和Y5两个人一听布爷爷有牙套，以为是奇景，连忙给布爷爷拍起了照片。

“这没什么啊，年龄大的人牙齿不好，有时候需要装牙套，才能吃东西。”布爷爷微笑着解释道，“这次是一个臼齿有问题，装了副牙套，看上去可不大好看。我去厨房看看有没有软的东西可以吃。”

布爷爷走进屋，过了一会儿，端出来一盘黄黄的东西。

“我看冰箱里有几个蛋，就做了个煎蛋。”布爷爷说。

布鲁诺一听立马就跳了起来：“天哪！那是恐龙蛋！你不会把那个给煎了吧？那可是高尔奇人送咱们的礼物！”

“啊，恐龙蛋？我又不知道。”说着，爷爷叉起一块煎恐龙蛋放进了嘴里。

“尝起来很一般嘛，一点儿恐龙味都没有。”

“恐龙是什么啊？”Y1问道，“这个词我没保存过。”

布鲁诺解释道，恐龙在数千万年前曾在地球上生活过，有很多种类。他似乎对恐龙很熟悉，还给大家一一介绍了它们的特征和生活习性。没想到他的小脑袋里还存了不少信息。

“布鲁诺可是个恐龙专家哟！”布爸爸说道。

“那现在没有恐龙了吗？”Y1饶有兴趣地问道。

“是啊，这个问题我也关心很呢！”女编辑说道。

“它们已经从地球上消失了，”布鲁诺解释道，“大概在六千五百万年前，有一颗小行星撞击地球，摧毁了所有的生命，当然恐龙也不例外。”

女编辑会心地看了我一眼。

大概她也回忆起刚才在时空旅途中看到的那颗小行星吧。看来就是那个天体毁掉了所有的地球生命。

有意思的是，我们刚才完全可以改变蓝色星球的命运。如果我们真的摧毁了那颗小行星，不知道地球会变成什么样子。或许现在还是恐龙横行的时代？那布家还存在吗？我们还能一起吃烧烤吗？

如果……或许……这都是地球人的傻瓜念头！我怎么

也会这么想呢？这些想法只会让我的头脑更加混乱，而且想来想去也得不出什么结论。

女编辑换了个话题，对布家人说：“希望真参观能一下花园小屋的里面！”

“没问题！”布鲁诺回答。

“那我和小古斯下盘棋！”布爷爷建议道。

所有的高尔奇人都飞向花园小屋，布家人用两条腿走着跟在我们后面。

第21章　返回高尔奇星球

我和布爷爷下棋，连着赢了他三局后，他就没兴趣和我继续玩下去了。

这时，同事们看到了，都跃跃欲试。Y9决定一个人对其他所有高尔奇人。作为数学家，他总能预测到所有的棋步，用21.5秒就赢了比赛。

“Y9，你竟然擅自启动了FLUXATOR，真是没想到！”女编辑说道，“等回去给我写篇详细的报道！”

训得好，我心想，这个万人迷终于有了一个污点。

布鲁诺给我们拿出了一本书，里面有很多恐龙的二维图片。

“看！”他说，“这就是腕龙！虽然看上去很吓人，但是只吃草！”

“我知道！”Y9低声说，“如果在它面前变成草的话，就完蛋了！”

布鲁诺吃惊地看了他一眼，接着让我们看了另一张图。

“这就是暴龙！非常非常危险的恐龙！”

其实不用他介绍，我一眼就认出来了。

布鲁诺继续翻着书，同事们也七嘴八舌地说起了自己见过的几个恐龙。看来大家都多多少少见过恐龙了，但是最可怕的暴龙却只有我一个人领教过。

“好可惜，只有我还没见过真正的恐龙。”布鲁诺说。

我微微笑了笑。

看来他真的什么都不记得了。在休息室里进行的治疗，让他把之前的经历全当成了梦境。

“现在来点儿音乐怎么样？”布爷爷说着，拿出了他的萨克斯管。他刚开始吹，大家就受不了了。那音乐实在是太刺耳了。

布爷爷的音乐对我们高尔奇人的神经系统产生了惊人的影响。

Y4和Y5像被定住了一样，动也不动。Y1的九只眼睛完全倒了过来，他飞到天花板上，头朝下倒立着站在上面。

女编辑和别的同事捂着耳朵，鼻子尖不停地抖动。

“我们将高兴非常，如果音乐这个能下来停的话。”女编辑用尽全力喊道。

“那好吧！”布爷爷嘟嘟囔囔地收起了乐器。

我们开开心心地离开了花园小屋。

布爸爸大笑了几声说道：“爸，你的音乐连外星人都听不下去啦！”

在布家的时光是我们这次出行的一大亮点！

“对了，小古斯，”等我们又回到露台时，布妈妈说，“能再帮我做点儿家务吗？经过上次的事，我算是发现了，你简直就是个做家务的小天才啊！”

我心里美滋滋的，非常干脆地接过了她交给我的几项任务。她拿出一块抹布和一只清洁桶，让我把屋子里所有的地板和台阶擦得一尘不染。

同事们饶有兴趣地看着我工作，不一会儿，就争先恐后地想加入做家务的行列了。

“太棒了！”布妈妈开心地说，“咱们现在有一队清洁工了！”

她连忙拿出很多工具，给大家分配任务，忙得不可开交。

我们要擦掉或者吸掉地毯上的粉尘，要擦干净玻璃，还要弄干净烧烤设备。

我们很快就完成了所有的任务。

之后，她又教Y2使用洗衣机和烘干机；教Y7洗餐具、打扫厨房、修理浴室堵塞的下水道。

Y4、Y5和我帮布爷爷整理花园。我们修理了割草机，割了花园的草，还修剪了灌木丛。

Y6和Y7要把百叶窗上的涂料刮掉，再把它刷成深绿色。

女编辑劈了生火用的柴，还修理了花园的篱笆。Y8把地下室所有的房间都刷成了白色。

Y9把布爸爸汽车的里里外外洗得干干净净。

我们顺利完成了所有的任务之后，布家人又给了我们更难的任务。

“浴室要是换上新瓷砖就好了。”布爸爸说。

“还有，露台要是能铺上木地板就好了！”布妈妈说。

这也难不倒我们，大家眨眼工夫就顺利完成了。

接下来，我们还拓宽了车库入口，铺了几个花坛。

布家人没有别的活儿让我们干了。终于大功告成！我拿起无线电收发器，给侯悠发了最后一条信息。

：悠侯的爱亲

，里家的家布人球地在

。光时的好美常非段一了过度们我

，兴高很

。你到见再能就久不

3Y

她的回复让我非常吃惊。

束光色紫

流之暖温

铜白晶水

刷冲

光之亮闪
泉之恒永
河银我你

天哪！侯悠竟然给我写了一首诗！读了她的信息，我更想快点回高尔奇星球了。就在这时，女编辑宣布："亲爱的同事们，美好的出游终有结束。现在我们要告别地球，回自己的星球了。我敢肯定大家都收集了有趣的素材，等回去加工一下发表在杂志上……"

她就这么一直说了半个小时才停了下来。所有的高尔奇人对布家人说了再见，并感谢他们的慷慨和热情招待。

"小古斯，好舍不得你走啊！"布鲁诺对我说。

看他很伤心的样子，我说："我也会非常想念你的，咱们肯定还会见面的！"

对于这次的分别，我没有什么特别的感觉，因为我心里一直期待与侯悠的重逢。

等我踏入太空船的时候，布家人挥着手说：“再见，小古斯！希望很快能再见面！”

他们脸上挂着微笑，高举着手摆来摆去。

第22章　给侯悠的礼物

回程一切顺利，没发生任何意外。

唯一的不足之处便是Y9坐在我旁边！这次女编辑明令禁止他进入驾驶舱。

一路上他都是同一副表情，板着脸，看样子正在用电脑办公。

女编辑和Y2驾驶飞船。两个人选择用最高速度返回高尔奇星球。

经过土星时，我飞进机舱影院，下载了一部家乡电影：外星系的明亮生物向我们星球发来正面的光能。好多人都说这部电影很棒。

要我说，这部电影真的很无聊，还没看完我就离开影院了。我坐在67836星球的水晶植物下面，吃着脆皮小吃，脑子里全是侯悠。

突然间，我想起来，自己竟然没给她准备礼物。她肯定想要蓝色星球的小纪念品。唉，我怎么老是忘记礼物这回事呢？准是我的情感器出了问题。得赶紧升级一下！

要么我给她写首诗，说不定她也会很开心呢。

这主意不错。明亮的充满阳光的诗句……

我绞尽脑汁想了好久，结果就挤出来两句。看来我实在不是写诗的料，最后我悻悻地把刚才那两句也删掉了。

还是去休息室躺躺吧！没想到我刚飞出闸门便跟Y6撞了个满怀。

Y6这个地理学家正在清点从地球带回来的东西，有几个很特别，比如石块、木头、小草、蜗牛壳和装着透明液体的小容器。这个小容器肯定是他偷偷从布家拿的。

不过，最有意思的还是那枚黄色的大大的蛋。这是他从六千五百万年前带过来的，这也是枚恐龙蛋，只不过比给布家的那几枚大了一些。

就是那枚蛋！给侯悠的最佳礼物！

“能把那枚蛋给我吗？回去我给你做一大包棒条！”我知道他很喜欢吃棒条，于是诱惑他，“你要是把这枚古老的蛋送给我，我就给你一份超级新鲜的亮红色棒条！”

“就一份吗？”他好像已经上钩了。

“你想要几份就给你几份。”我说。反正我在原子厨房可以无限量生产。

“你一天给我一包，送到我的办公室，而且还得是最新鲜的！”

“好的，没问题！”我向他承诺道。

“很好！就这么愉快地决定啦！”他开心地把蛋递给了我。

这枚蛋真沉啊！

没想到这枚蛋真沉啊！我小心翼翼地把蛋拿进休息室，突然发现里面好像有东西在动！

这可真是一枚令人惊喜的蛋啊！侯悠肯定会爱不释手！

第23章　布鲁诺来电

我们安全降落在MAGMASUSS光能轨道上，太空船平缓地滑进机库。

在隔离区，我们做了常规检查，之后才被准许踏入高尔奇星球。

出来后，女编辑做了一个总结，大概有三个半小时那么长。她一直在说集体出游多么开心，多么有意义。

我利用这个时间，把收集到的所有信息整理归类了一下。

最后，女编辑终于结束了演讲，我们约好明早在杂志社碰头。

接着，我就径直朝技术部飞去。

侯悠正站在明亮的灯光中，修理新型JUPP发电机的支架。看到我，她立马抬起鼻子问道：“怎么样，Y3，一切顺利？”

“嗯，再好不过了！谢谢你的诗！我很喜欢。”说完，我终于完美地做出了一个地球人的微笑。当然，侯悠没法回应我，因为高尔奇人是不会微笑的。这还是我在拜访地球时好不容易才学会的。我发现她身体上的黄色斑点变成了红色。这是一个非常积极的信号。

我从背包里掏出那枚大大的恐龙蛋，递给了她。

“送给你的！”我说，“这可是六千五百万年前的哟！”

“嗯！你还真体贴！谢谢啦！”

“你摸摸！”我说，“还是热乎的！”

她把三只手放在了恐龙蛋上。

“好奇妙！看样子里面是活的生物！我这就把它放进仿真孵化室。”

“一会儿去我家吃饭吧？”我充满期待地问她，“我家里还有很多好吃的！”

“看情况吧！我今天还得把368这个新软件安装一下。”

“那就加油吧！”说完，我又冲她笑了笑。

JUPP发电机的控制灯忽闪了两下，侯悠又开始忙工作了。

我启动小飞行器“弓”。它此刻正在技术部门前等着我呢。

当我越过紫色的原野朝黑色的平原飞去时，内心充满了喜悦。眼看我就要到家啦！

飞行器准确降落在房顶上。我走下来，径直朝惬意厅走去。我的小马莫步机器人用嘶哑的声音问候我：

“欢迎回家！愿我们星球的光永远照耀着你……

“欢迎回家！愿我们星球的光永远照耀着你……

“欢迎回家！愿我们星球的光永远照耀着你……

“欢迎回家！愿我们星球的光永远照耀着你……”

我叹了口气。小机器人坏了，需要修理一下。

“不要再说啦，愿你有完美的一天！”

小马莫步立马闭嘴了。

我把背包挂在钩子上，脱下飞行鞋，非常享受地“冲”了一个星星浴。

之后，我惬意地走进水晶厅。还没等我坐到光沙发上，我就看到大大的屏幕墙上出现了几张三维回忆图。我看到同事们登入侯悠–咤普号太空船，准备启程去蓝色星球。

我的大脑自动和日历器相连，日历器正把之前的图片调取出来。我不太喜欢这种方式！

我立马切断连接，我可不想把过去的经历再复习一遍。比如那只暴龙，我实在没兴趣再看它一眼。

我正琢磨要不要给侯悠准备点披油，就在这时，我的无线电收发器响了。

“希望不是女编辑……”我嘟囔道。

我一听声音，不是她，是我的地球朋友布鲁诺!

“喂？吱吱……喂？我是布鲁诺！喂？吱吱……能听到吗？吱吱……小古斯？吱吱……”

信号不大好。

我调了一会儿无线电收发器，之后听得清楚一些了。

“喂，小古斯？你能听见吗？”

听到布鲁诺的声音，我真是喜出望外。

我们之间的距离有五光年，他是怎么和我取得联系的？唯一的可能便是，他用的是我们高尔奇人的无线电收发器!

“喂！布鲁诺，能听到你的声音，这太让我吃惊了！”我说，“你现在用的是高尔奇收发器吗？”

“是爷爷发现的！”他说，“爷爷在花园里用铁锹铲土，突然发现了这个！我一看就知道这肯定是你们落下的！”

我难以置信地摇了摇头。就在这时，我猛地想起来了，肯定是我上次扔的那个无线电收发器！就是被我扔到六千五百万年前水洼里的那个!

六千五百万年后这个设备竟然还能用！看，我们的技术多强大！

“其实，它看上去已经很恶心了，”布鲁诺说，“电池也坏了，不过我把电脑上用的一块新电池拆下来，又鼓捣了一会儿，现在勉勉强强能用了。”

我知道布鲁诺经常鼓捣电子玩具，没想到他这次竟然把我们的无线电收发器修好了。

“我看你以后就来我们的技术部工作吧！”我说，“侯悠要是能有你这么出色的助手，肯定很开心！”

我听见他笑了几声，看来我也会和地球人开玩笑了，而且这玩笑开得非常成功！

“小古斯，我可以经常给你打电话了！”布鲁诺说，“太棒啦！”

“嗯，尽情和我联系吧！”我说，“不过现在我要去做面条了，一会儿我家有客人来！”

“面条？酷！”布鲁诺说，“那我一会儿也去你那儿吧！”

说完，他又笑了笑。

“好吧，那就……吱吱……祝你们有一个……吱吱……”话还没说完，信号就断了。

第24章　完美的一天

我下载了一些温暖的紫色阳光，靠在沙发上，抬头看着天花板上的星星。时不时会有彗星划过我的人工星空，星光折射在我的水晶墙上，漂亮极了。

我正在琢磨是给侯悠做熏肉奶油意面好呢，还是经典番茄意面好呢……就在这时，无线电收发器又响了。

这次不是布鲁诺。

是技术部来的电话！

“你送的礼物我很喜欢，谢谢！”侯悠说道，“我扫描了一下那枚蛋，它就钻出来了！”

“什么钻出来了？”

“一个长着鳞片的地球动物，它有两条强壮的后腿，看上去很有趣。”

两条强壮的后腿？我立马警觉起来。

“它是不是前腿很短？还有一条强有力的尾巴？嘴里还有很多尖牙？”

“对的！”

“天哪！是暴龙！”我吃惊地喊道，“赶紧给它变形！这种动物会长得很大，而且很危险！你一定要尽可能把它缩小！”

“嗯，我把它变小了，”她说道，“它现在已经是一只小不点儿了，看上去可爱极了。我把它安放在了布克森旁边！”

布克森是来自遥远的外星球的生物，有点儿像地球上的蝗虫。侯悠搜集了很多布克森，还给它们搭建了生活室。

“看样子，它们很合得来，好像已经交上朋友了！”她告诉我。

“嗯，希望如此！不过你可得时刻留心，盖好盖子，说不定哪天布克森就被吃光了！”

“好的，我会的！”她说，“你有空一定要来看看它哟！”

我可不想看它，就算它变小了，我也不会喜欢这种动物的。

“你的工作怎么样了？”我问，“都做完了吗？”

“嗯。”她说，“我这就去你家！”

总结一下吧，到目前为止有几件事还不赖。

1. 我们经历了一次大冒险！大家毫发无伤地回到了高尔奇星球。

2. 女编辑终于意识到Y9也会犯低级错误。

3. 布家现在干干净净，一尘不染。

4. 侯悠很喜欢我的礼物。孵化出的暴龙已经被缩小，安置在了安全的地方。

5. 侯悠马上就要来拜访我！

我赶紧跑到厨房，从冰箱里拿了一团浅绿色的意面，铺在了桌子上。

侯悠

小译林国际大奖童书

情感认知 · 性格培养 · 生命教育 · 成长励志

《萨姆的八个愿望》，[英国]萨莉·尼科尔斯/著，向丽娟/译

《借东西的小人》，[英国]玛丽·诺顿/著，任溶溶/译

《老师，水缸破了！》，[伊朗]胡桑·莫拉迪·凯尔马尼/著，侯萍/译

《妈妈的银行账户》，[美国]凯瑟琳·福布斯/著，侯萍、宋苏晨/译

《天虹战队小学》，[印度尼西亚]安德烈亚·伊拉塔/著，熊裕、李佳/译

《魔柜小奇兵》，[英国]琳妮·里德·班克斯/著，孙玮/译

《小间谍哈瑞特》，[美国]路易斯·菲兹修/著，李冉/译

《同学都说我丑》，[奥地利]克里斯蒂娜·涅斯特林格/著，赖雅静/译

《我的哥哥吹黑管》，[俄罗斯]阿纳托利·阿列克辛/著，张俊翔/译

《我被爸爸绑架了》，[日本]角田光代/著，龚群/译

《你的世界有多大》，[瑞典]乌尔夫·尼尔松/著，赵清/译

《镜中的爱丽丝》，[英国]凯西·卡西迪/著，万洁/译

《作业机器的秘密》，[美国]丹·古特曼/著，筱舟/译

《罐头里的小孩》，[奥地利]克里斯蒂娜·涅斯特林格/著，任溶溶/译

《纳尼亚传奇：狮子、女巫和魔衣柜》，[英国]C.S. 刘易斯/著，陈良廷、刘文澜/译

《男孩米达斯和巧克力魔法》，[英国]帕特里克·卡特林/著，阿昡/译

《布鲁克林有棵树》（青少版），[美国]贝蒂·史密斯/著，方柏林/译

《我家的故事》，[俄罗斯]阿纳托利·阿列克辛/著，张俊翔/译

《小银和我》，[西班牙]胡安·拉蒙·希梅内斯/著，张伟劼/译

《总有一天会强大》，[日本] 伊藤未来 / 著，田秀娟 / 译

《居里夫人的故事》，[英国] 埃列娜·杜尔利 / 著，缪建维 / 译

《摩天轮上的男孩》，[英国] 西沃恩·多德 / 著，康燕燕 / 译

《库布库布航海记》，[日本] 北杜夫 / 著，曹艺 / 译

《魔法铅笔知道答案》，[美国] 凯特·梅斯纳 / 著，高雪莲 / 译

《尼姆的老鼠》，[美国] 罗伯特·奥布赖恩 / 著，齐若兰 / 译

《我和奶奶的奇妙之旅》，[比利时] 热罗姆·蓬森 / 著，梅思繁 / 译

《175岁的哈里特和它的朋友们》，[韩国] 韩允燮 / 著，徐丽红 / 译

《暑假奇迹》，[日本] 朝比奈蓉子 / 著，吕灵芝 / 译

《家里来了大老鼠》，[意大利] 安娜丽莎·斯特拉达 / 著，温爽、陈晶晶 / 译

《长笛女孩》，[英国] 卡蒂娅·巴伦 / 著，陈怀菊 / 译

《小学生玛莎上班记》，[俄罗斯] 爱德华·乌斯宾斯基 / 著，李江华 / 译

《埃米尔擒贼记》，[德国] 埃里希·凯斯特纳 / 著，王丽丽 / 译

《两个小洛特》，[德国] 埃里希·凯斯特纳 / 著，董晓男 / 译

《我是克里克，克里克就是我》，[荷兰] 汉娜·克兰 / 著，林霄霄 / 译

《十二岁忽而长大》，[美国] 易丽莎 / 著，谈凤霞 / 译

图书在版编目（CIP）数据

高尔奇星球：恐龙出没 /（德）埃哈特·迪特尔著；王丽丽译. —南京：译林出版社，2022.1（2025.4重印）
ISBN 978-7-5447-8854-0

Ⅰ.①高… Ⅱ.①埃… ②王… Ⅲ.①儿童小说－长篇小说－德国－现代 Ⅳ.①I516.84

中国版本图书馆 CIP 数据核字（2021）第 198428 号

Title of the original edition: Gustav Gorky. Die Dinos sind los
Author: Erhard Dietl

著作权合同登记号　图字：10-2021-473号

高尔奇星球：恐龙出没　[德国] 埃哈特·迪特尔 / 著　王丽丽 / 译

选题策划　高谈童书馆
责任编辑　王　维
特约编辑　宣慧敏　吴雪琦
装帧设计　陈忆航
插图作者　[德国] 埃哈特·迪特尔
校　　对　孙玉兰
责任印制　单　莉

出版发行　译林出版社
地　　址　南京市湖南路 1 号 A 楼
邮　　箱　yilin@yilin.com
网　　址　www.yilin.com
市场热线　025-86633278
排　　版　南京展望文化发展有限公司
印　　刷　安徽新华印刷股份有限公司
开　　本　889 毫米 ×1270 毫米　1/32
印　　张　5.5
插　　页　4
版　　次　2022 年 1 月第 1 版
印　　次　2025 年 4 月第 2 次印刷
书　　号　ISBN 978-7-5447-8854-0
定　　价　35.00 元